SUOMI KONFERENSSIN

KIRKOLLINEN

KALENTERI

VUODEKSI

1965

63. VUOSIKERTA

Printed in U. S. A.

Painettu ja sidottu
Suom. Kustannusliikkeessä
Hancock, Michigan, U. S. A.
1964

Suomi-Opiston uuden rakennuksen eteläinen julkisivu

Esipuhe

VUODEN 1964 Kirkollinen Kalenteri lähestyi luki-joitaan arastellen, koska se oli vasta toinen vuosikerta Suomi-Konferenssin julkaisuna ja vasta ensi kerran aivan riippuvainen S-K:n jäsenten mieli-suosiosta. Oikeastaan olisimme pitänyt tietää parem-min, koskapa varsinaisesti Kirkollista Kalenteria on julkaistu 62 vuotta katkeamatta. Vuoden 1964 Ka-lenteria myytiin yli 2400 kirjaa. Näin ollen rohke-nemme julkaista vuodelle 1965 myöskin Kalenteria, se ollen 3's vuosikerta S-K'n julkaisuna ja 63 vuosi-kerta ensimmäisestä Kirkollisesta Kalenterista.

Kirkolliset Kalenterit, kaikki vuosijulkaisut yhteen otettuna, antavat hyvän kuvan muuttuvasta ja kehit-tyvästä kirkollisesta elämästä. Tämänkin kirjan kir-joitusten sisältö, verrattuna edellisiin julkaisuihin, antaa erinomaisen kuvauksen tästä kehityksestä juuri tänä aikana kirkollisessa elämässämme. Samalla nä-mä kirjoitukset osoittavat miten on mukauduttu uu-siin olosuhteisiin ja miten on pidetty kiinni arvok-kaista hengellisen ja kansallisen elämämme perin-teistä ja aarteista. Yhteydet Suomen Kirkon kanssa jatkuvat; siitä monikin kirjoitus tämän vuoden kir-jassa ovat todisteina. Seurakunnistamme nousee yhä suomalaisilla nimillä ja kielitaidolla olevia nuoria, jotka ovat astuneet pappistehtävään. Suomi-Opisto on yhä olemassa, suurempana ja voimakkaampana. Kansikuvamme on todistus kolmannen ja uljaimman rakennuksen toteutumisesta.

Raymond W. Wargelin, toimittaja

Tähtitieteellisiä tietoja

🌑 Uusi kuu, 🌒 ensimmäinen neljännes, ☺ täysi kuu,
☾ viimeinen neljännes.

Etäisyys maasta kuuhun on 238,862 mailia (384,411 kilometriä).
Etäisyys maasta aurinkoon on 92,897,416 mailia (149,-504,201 kilometriä).
Valon nopeus on 186,324 mailia (299,860 kilometriä) sekunnissa.
Maapallon puoliläpileikkaus päiväntasaajan kohdalta (Equatorial Radius) on 3,963 sekä navoilta (Polar Radius) 3,950 mailia.

PLANEETTIEN ETÄISYYS AURINGOSTA

Merkuriuksen	35,959,471	mailia
Veenuksen	67,193,663	”
Marsin	154,542,642	”
Neptunuksen	2,793,409,769	”

AIKA, MIKÄ KULUU KIERTÄESSÄ AURINGON YMPÄRI

Maapallon	365	päivää
Merkuriuksen	88	”
Veenuksen	222	”
Marsin	678	”
Jupiterin lähes	12	vuotta
Uranuksen	84	”
Neptunuksen	164	”

Hän teki kuun aikoja jakamaan, ja aurinko tietää laskemisensa. Ps. 104: 18.
Kiittäkää häntä, aurinko ja kuu, kiittäkää häntä, kaikki kirkkaat tähdet!
Kiittäkää häntä, te taivasten taivaat, ja vedet, jotka olette taivasten päällä!
Kiittäkööt ne Herran nimeä, sillä hän käski, ja ne luotiin. Ps. 148: 3—5.
Taivaat julistavat Jumalan kunniaa, taivaan vahvuus ilmoittaa hänen kättensä tekoja. Ps. 19: 2.

AJANLASKUMME KEHITYS

Egyptiläiset jo löysivät vuoden oikean pituuden: 365,242 päivää. He jakoivat sen 12 kuukauteen, joissa kussakin oli 30 päivää.

Julius Caesar v. 6 ennen Kristusta hyväksyi egyptiläisen kalenterin Rooman valtakuntaan. Keisari Augustus v. 28 e. Kr. uudisti sen ja antoi nimet viikon päiville ja kuukausille. Myöhemmin kristikunnassa tuli yleisesti Julianinen ajanlasku käytäntöön. Mutta siinä oli erehdyksensä. Se ei jakanut täsmälleen aikaa. Tämän erehdyksen korjasi paavi Gregorius määräten ajanlaskun uusittavaksi siten, että lokakuun 5 p. muutettiin lokak. 15 p:ksi vuonna 1582. Tämä on meidän nykyinen ajanlaskumme eli niin sanottu Gregorianinen kalenteri.

Keski- ja Etelä-Eurooppa hyväksyivät tämän ajanlaskun v. 1582. Toiset kansat ovat sen hyväksyneet seuraavasti: Englanti ja sen alusmaat syysk. 2 p. 1752. Japani ja Kiina v. 1911. Turkki 1917. Kreikkalaiskatolisen maailman kongerenssi hyväksyi sen lokak. 1 p. 1923. Näin muodoin nykyään koko maailma noudattaa Gregorianista ajanlaskua.

KIRKKOVUOSI

Kirkkovuosi alkaa 1:llä Adventti-sunnuntailla, joka on lähinnä, ennen tai jälkeen marrask. 30 p. Kirkkovuosi päättyy Tuomiosunnuntailla, joka on 1:sen Adventin edellinen pyhä.

Pääsiäinen määrätään vuosittain seuraavalla tavalla:

Pääsiäinen on maalaiskuun 21 p. jälkeen olevan täyden kuun jälkeisenä sunnuntaina. Jos täysi kuu sattuu sunnuntaiksi, on pääsiäinen seuraavana sunnuntaina.

Ensimmäisestä Adventtisunnuntaista 1964 Tuomiosunnuntaihin 1965 ovat kirkkoteksteinä III vuosikerran tekstit.

AURINGON JA KUUN PIMENNYKSET V. 1965

Auringon osittainen pimennys on tammik. 14 p. Se on nähtävänä etelä-napapiirissä, Tasmania saaressa sekä Etelä Amerikan eteläisemmässä osassa.

Auringon osittainen pimennys on kesäk. 9—10 p. Se on nähtävänä Australiassa, paitsi sen äärimmäisessä pohjoisessa, Uudessa Seelannissa sekä Itämerellä ja Tyynen meren eteläisissä osissa.

Kuun täydellinen pimennys on kesäk. 24 p. Sen alku nähdään Europassa, Afrikassa, Aasian lounaisessa, Itämerellä, Etelä Amerikassa, Atlannin merellä ja etelänapapiirissä; pimennyksen loppu nähdään Europan lounaisessa, Afrikassa, paitsi sen koillisessa, Atlannin merellä, Pohjois Amerikassa, paitsi sen lounaisessa, Etelä Amerikassa, Tyynen meren kaakkoisessa sekä etelä-napapiirissä.

Auringon osittainen pimennys on jouluk. 3 p. Se nähdään Siperian itäosassa, Tyynen meren pohjoisessa sekä Alaskan länsipuolella.

Kuun täydellinen pimennys on jouluk. 18—19 p. Sen alku nähdään pohjois-napapiirissä, Europassa, Afrikassa, länsi Aasiassa, Itämeren länsipuolella, Atlannin merellä, Pohjois Amerikassa, Etelä Amerikassa, ja Tyynen meren kaakkoisessa; loppu nähdään pohjois-napapiirissä, Europassa, Afrikassa, paitsi sen kaakkoisessa, Atlannin merellä, Pohjois Amerikassa, Etelä Amerikassa ja Tyynen meren itäisessä osassa.

VUODEN AJAT

Maaliskuun 21. päivänä on kevätpäivän tasaus. Silloin alkaa kevät, jota kestää 92 vuorokautta, 21 tuntia.

Kesäpäivän seisaus on kesäkuun 22. päivänä. Silloin alkaa kesä ja kestää 98 vuorokautta, 14 tuntia.

Syyspäivän tasaus on syysk. 23. päivänä ja aloittaa syksyn, jota kestää 89 vuorokautta, 18 tuntia.

Talvi alkaa talvipäivän seisauksesta joulukuun 22. päivänä ja kestää 89 vuorokautta ja yhden tunnin.

TAMMIKUU, 1965

Ensimmäinen kuukausi 31 päivää		Liturkiset värit
1 P **Uudenvuoden päivä**	Ilm. 2:1-5 Luuk. 13:6-9 Jos. 24:14-16	Valkoinen
2 L Aabel		
3 S **Uudenvuoden jälk. sunnuntai** Enok	Ef. 5:25-27 Matt. 3:11, 12 Ps. 73:23-28	
4 M Ruth 5 T Lea 6 K Harri — **Loppiainen** 7 T August 8 P Gunnar 9 L Veikko		
10 S **1 s. Loppiaisesta** Sigurd	Hebr. 2:11-16 Matt. 12:46-50 Sananl. 1:7-10	Valkoinen
11 M Oswald 12 T Toini 13 K Knuut 14 T Feeliks 15 P Siviä 16 L Ilmari		
17 S **2 s. Loppiaisesta** Anton	1 Kor. 1:26-31 Luuk. 19:1-10 1 Moos. 12:1-4	Valkoinen
18 M Laura 19 T Heikki 20 K Fabian 21 T Aune 22 P Fridolf 23 L Meri		
24 S **3 s. Loppiaisesta** Jarl	2 Kor. 1:3-11 Matt. 8:14-17 2 Kun. 5:1-15	Valkoinen
25 M Paavali 26 T Aarne 27 K Viljo 28 T Kaarlo 29 P Walter 30 L Gunilla		
31 S **4 s. Loppiaisesta** Aili	2 Tim. 1:7-10 Matt. 14:22-36 Ps. 40:2-4	Valkoinen

HELMIKUU, 1965

1 M Bertha
2 T Aamu — **Kynttelinpäivä**
3 K Hugo
4 T Ansgarius
5 P Agda
6 L Dorotea

7 S	**5 s. Loppiaisesta** Rikhard	Ef. 4:14-16 Mark. 4:26-29 Jer. 18:1-10	Valkoinen

8 M Laina
9 T Naima
10 K Elina
11 T Talvikki
12 P Elma
13 L Sulo

14 S	**Septuagesima sunnuntai** Valentin	Fil. 3:7-14 Luuk. 17:7-10 1 Moos. 22:1-13	Vihreä

15 M Sipri
16 T Julia
17 K Väinö
18 T Thyra
19 P Kauppo
20 L Hulda

21 S	**Sexagesima sunnuntai** Keijo	2 Tim. 3-10—4:5 Matt. 9:36—10:15 Aam. 8:11, 12	Vihreä

22 M Tuulikki
23 T Salli
24 K Matti
25 T Victoria
26 P Nestori
27 L Torsti

28 S	**Quinquagesima sunnuntai** Onni	Jaak. 3:13-18 Mark. 10:32-45 Jes. 52:13-15	Vihreä

MAALISKUU, 1965

Kolmas
kuukausi   Liturkiset
31 päivää   värit

1	M	Alpo
2	T	Fanny
3	K	Kauko — **Paasto alkaa**
4	T	Adrian
5	P	Laila
6	L	Rudolf

7	S	**1:nen Paastonajan sunnuntai** Tarja	Hebr. 12:22-25 Luuk. 10:17-22 Purppura 1 Moos. 3:1-15

8	M	Vilppu
9	T	Edwin
10	K	Aura
11	T	Kalervo
12	P	Reijo
13	L	Ernest

| 14 | S | **2:nen Paastonajan sunnuntai** Mathilda | Jaak. 1:2-8 Mark. 9:14-29 Purppura 2 Moos. 14:13-15 |

15	M	Risto
16	T	Herbert
17	K	Kerttu
18	T	Edward
19	P	Joosep
20	L	Jaakkima

| 21 | S | **3:s Paastonajan sunnuntai** Pentti | Ilm. 15:2-4 Luuk. 4:31-38 Purppura Sak. 3:1-5 |

22	M	Vihtori
23	T	Akseli
24	K	Gabriel
25	T	**Maarianpäivä**
26	P	Immanuel
27	L	Soini

| 28 | S | **4:s Paastonajan sunnuntai** Armas | Ap. 5:38-42 Joh. 6:52-71 Purppura 2 Moos. 16: 11-21 |

29	M	Joonas
30	T	Usko
31	K	Irma

HUHTIKUU, 1965

1 T Harold
2 P Pellervo
3 L Ferdinand

4 S **5:s Paastonajan sunnuntai** Ambrosius	2 Tess. 3:1-5 Joh. 8:31-45 Jes. 50:4-11	Purppura

5 M Irene
6 T Vilho
7 K Allan
8 T Otto
10 L Hesekiel

11 S **Palmusunnuntai** Verna	Ilm. 14:1-5 Luuk. 22:14-22 Ps. 111	Purppura

12 M Julius — **Piinaviikko**
13 T Tellervo
14 K Taito
15 T Linda

16 P **Pitkäperjantai** Jalo	Ps. 69:2-10 Matt. 27:45-54 3 Moos. 16:29-34

17 L Elias

18 S **Pääsiäinen** Waldemar	Ef. 1:15-23 Matt. 28:1-8 Ps. 118:14-24	Valkoinen

19 M Bernhard
20 T Amalia
21 K Anselm
22 T Alina
23 P Yrjö
24 L Pertti

25 S **1:nen s. Pääsiäisestä** Markus	Ap. t. 13:26-41 Luuk. 24:36-49 1 Moos. 32:24-31	Valkoinen

26 M Terttu
27 T Merja
28 K Ture
29 T Tykö
30 P Mirjam

TOUKOKUU, 1965

1 L Vappu — **Pyh. Filipuksen ja**
Pyh. Jaakobin päivä

2 S **2:nen s. Pääsiäisestä**	Hebr. 13:20, 21	Valkoinen
Vuokko	Joh. 10:1-10	
	Ps. 23	

3 M Lilja
4 T Roosa
5 K Jenny
6 T Aleksandra
7 P Helmi
8 L Aake

9 S **3:s s. Pääsiäisestä**	1 Piet. 1:3-7	Valkoinen
Timo	Joh. 14:1-12	
	Jes. 40:26-31	

10 M Aino
11 T Osmo
12 K Lotta
13 T Kukka
14 P Edith
15 L Sofia

16 S **4:s s. Pääsiäisestä**	1 Joh. 3:19-24	Valkoinen
Esther	Joh. 7:37-39	
	Sak. 13:1	

17 M Rebekka
18 T Erkki
19 K Emilia
20 T Karolina
21 P Kosti
22 L Hemminki

23 S **5:s s. Pääsiäisestä**	Jaak. 5:16-20	Valkoinen
Lyyli	Luuk. 11:1-13	
	2 Moos. 17:8-15	

24 M Panu
25 T Urpo
26 K Vilhelmina

27 T **Helatorstai**	Ef. 4:7-13	Valkoinen
Ritva	Luuk. 24:50-53	
	Ps. 110:1-4	

28 P Alma
29 L Oiva

30 S **6:s s. Pääsiäisestä**	1 Piet. 3:16-22	Valkoinen
Pasi — **Hautainkukituspäivä**	Luuk. 12:4-12	
	1 Kun. 19:8-14	

31 M Helga

KESÄKUU, 1965

1 T Nikodemus
2 K Vendla
3 T Viola
4 P Toivo
5 L Sulevi

			Ap. t. 2:36-41	
6	S	**Helluntaipäivä**	Joh. 14:15-21	Punainen
		Kustaa	Hes. 36:25-27	

7 M Robert
8 T Salomo
9 K Ensio
10 T Svante, Seppo
11 P Impi
12 L Esko

			Kol. 1:16-23	
13	S	**Kolminaisuus sunnuntai**	Matt. 28:18-20	Valkoinen
		Edla	4 Moos. 6:22-27	

14 M Elis
15 T Vieno
16 K Justina
17 T Urho
18 P Tapio
19 L Siiri

			1 Tim. 6:6-12	
20	S	**1:nen s. Kolmin. p.**	Matt. 16:24-27	Vihreä
		Into	Dan. 5:1-9, 13-17, 25-30	

21 M Ahti
22 T Paula
23 K Aatto
24 T **Joh. Kast. p.**
25 P Uuno
26 L Jorma

			2 Piet. 1:1-11	
27	S	**2:nen s. Kolmin. p.**	Luuk. 9:51-62	Vihreä
		Elviira	Ps. 36:6-11	

28 M Elo
29 T **Apostoli Pietari ja Apostoli Paavali**
30 K Päiviö

HEINÄKUU, 1965

1	T	Aaro	
2	P	Linnea	
3	L	Arvo	

4	S	**3:s s. Kolmin. p.**	Ef. 2:1-10	
			Matt. 9:9-13	Vihreä
		Ulrika — **Itsenäisyyden päivä**	Hes. 34:11-16	

5	M	Unto	
6	T	Esa	
7	K	Klaus	
8	T	Turo	
9	P	Iita	
10	L	Saima	

11	S	**4:s s. Kolmin. p.**	Room. 14:10-19	
			Matt. 7:1-6	Vihreä
		Eleanora	Miik. 6:8	

12	M	Herman	
13	T	Joel	
14	K	Alisa	
15	T	Rauni	
16	P	Reino	
17	L	Ossi	

18	S	**5:s s. Kolmin. p.**	Ap. t. 26:14-18	
			Matt. 16:13-19	Vihreä
		Riika	2 Moos. 19:3-6	

19	M	Saara	
20	T	Margareta	
21	K	Johanna	
22	T	Magdalena	
23	P	Olga	
24	L	Kirsti	

		Apostoli Jaakob, vanhempi	Jaak. 2:14-24	
25	S	**6:s s. Kolmin. p.**	Luuk. 18:1-8	Vihreä
		Jaakko	1 Sam. 15:22-29	

26	M	Martta	
27	T	Unikeonpäivä	
28	K	Hakon	
29	T	Olavi	
30	P	Eriikka	
31	L	Helena	

ELOKUU, 1965

1 S	**7:s s Kolmin. p.** Maire	Jes. 6:1-7 Joh. 17:1-5 2 Moos. 34:4-9	Vihre
2 M	Holger		
3 T	Vera		
4 K	Maria		
5 T	Salme		
6 P	Sikstus — **Herramme kirkastuminen**		
7 L	Lahja		
8 S	**8:s s. Kolmin. p.** Sylvia	1 Joh. 4:1-6 Matt. 7:22-29 1 Kun. 18:36-39	Vihre
9 M	Natalia		
10 T	Lauri		
11 K	Susanna		
12 T	Klara		
13 P	Alfonso		
14 L	Onerva		
15 S	**9:s s. Kolmin. p.** Marjatta	2 Tess. 3:10-13 Luuk. 16:10-17 1 Moos. 39:1-5	Vihre
16 M	Aulis		
17 T	Verner		
18 K	Lemmitty		
19 T	Maunu		
20 P	Samuel		
21 L	Sulo		
22 S	**10:s s. Kolmin. p.** Iivari	Hebr. 3:12-19 Matt. 11:20-24 1 Moos. 18:20-33	Vihre
23 M	Signer		
24 T	Perttu — **Pyhä Bartolemeus**		
25 K	Loviisa		
26 T	Ilmari		
27 P	Rolf		
28 L	Augustinus		
29 S	**11:sta s. Kolmin. p.** Ines	1 Joh. 1:8-2:2 Matt. 23:1-12 Dan. 9:15-19	Vihre
30 M	Emil		
31 T	Arvi		

SYYSKUU, 1965

Yhdeksäs kuukausi 30 päivää		Liturkiset värit
1 K Gottfrid		
2 T Sinikka		
3 P Serafina		
4 L Mooses		
	1 Kor. 2:1-11	
5 S **12:sta s. Kolmin. p.**	Joh. 2:12-25	Vihreä
Mainio	1 Sam. 3:1-10	
6 M Sakari		
7 T Regina		
8 K Taimi		
9 T Evert		
10 P Kaleva		
11 L Santeri		
	1 Tim. 1:12-17	
12 S **13:sta s. Kolmin. p.**	Matt. 11:25-30	Vihreä
Dagny	1 Moos. 50:15-21	
13 M Jorma		
14 T Ida		
15 K Burno		
16 T Mielikki		
17 P Elisabet		
18 L Tyyne		
	2 Tim. 2:19-21	
19 S **14:sta s. Kolmin. p.**	Luuk. 4:23-30	Vihreä
Fredrika	Ps. 50:14-23	
20 M Augusta		
21 T **Pyh. Matteuksen päivä, Evank.**		
22 K Mauri		
23 T Tekla		
24 P Alvar		
25 L Kullervo		
	1 Kor. 7:29-31	
26 S **15:sta s. Kolmin. p.**	Matt. 6:19-23	Vihreä
Kuisma	1 Kun. 17:8-16	
27 M Kaino		
28 T Lennart		
29 K **Mikkelinpäivä**		
30 T Helge		

LOKAKUU, 1965

1	P	Ragnar	
2	L	Raimo	

3	S	**16 s. Kolmin. p.** Evald	Fil. 1:19-26 Joh. 5:19-21 1 Kun. 17:17-24	Vihreä

4	M	Frans
5	T	Inkeri
6	K	Bruno
7	T	Pirkko
8	P	Hilja
9	L	Ilona

10	S	**17 s. Kolmin. p.** Josefina	Gal. 5:1-14 Mark. 7:5-23 Ps. 139:23, 24	Vihreä

11	M	Otso
12	T	Aarre
13	K	Taina
14	T	Elsa
15	P	Helvi
16	L	Sirkka

17	S	**18 s. Kolmin. p.** Luukas	1 Joh. 2:15-23 Mark. 10:17-27 2 Aikak. 1:7-12	Vihreä

18	M	Aleksi — **Pyhä Luukas**
19	T	Uljas
20	K	Kasper
21	T	Birger
22	P	Anita
23	L	Severi

24	S	**19 s. Kolmin. p.** Mielikki	2 Kor. 12:2-10 Luuk. 13:10-17 Ps. 32:1-7	Vihreä

25	M	Hilda
26	T	Amanda
27	K	Helen
28	T	Simo
		Pyhä Simon ja **Pyhä Juudas**
29	P	Alfred
30	L	Eila

31	S	**Uskonpuhdistuksen sunnuntai** .... Artturi	Hebr. 10:19-31 Matt. 19:33-46 Jes. 5:1-7	Punainen

MARRASKUU, 1965

1 M Lyly — **Pyhäinmiesten päivä**
2 T Topi
3 K Erland
4 T Hertta
5 P Malakias
6 L Kusta.a Aadolf

7 S	**21 s. Kolmin. p.**	Kol. 2:1-7 Ap. t. 16:25-34	Vihreä
	Taisto	Joon. 3	

8 M Aatos
9 T Teodor
10 K Martti
11 T Anja
12 P Conrad
13 L Kristian

14 S	**22 s. Kolmin. p.**	1 Tess. 5:14-23 Mark. 4:21-25	Vihreä
	Oihonna	2 Sam. 19:18-23	

15 M Leopold
16 T Aarne
17 K Einar
18 T Iris
19 P Enni
20 L Jalmari

21 S	**Tuomiosunnuntai**	1 Tess. 5:1-10 Matt. 24:35-44	Vihreä
	Hilma	Dan. 2:31-45	

22 M Silja
23 T Klemetti
24 K Lempi
25 T **Kiitospäivä**
     Kaarina
26 P Sisko
27 L Astrid

28 S	**1 s. Adventissa**	Room. 13:11-14 Matt. 21:1-9	Purppura
	Kari	Ps. 100	

29 M Aimo
30 T Antti — **Pyh. Andrean päivä**

JOULUKUU, 1965

Liturkiset
värit

1 K Oskar		
2 T Anelma		
3 P Vellamo		
4 L Aira		

5 S **2 s. Adventissa** Selma	Room. 15:4-13 Luuk. 21:25-36 Mal. 4	Purppura

6 M Niilo		
7 T Sampsa		
8 K Kyllikki		
9 T Anna		
10 P Judith		
11 L Taneli		

12 S **3 s. Adventissa** Tuovi	1 Kor. 4:1-5 Matt. 11:2-10 Jes. 12	Purppura

13 M Lucia		
14 T Jouko		
15 K Heimo		
16 T Aulikki		
17 P Raakel		
18 L Aapo		

19 S **4 s. Adventissa** Iisakki	Fil. 4:4-7 Joh. 1:19-28 5 Moos. 18:15-19	Purppura

20 M Nikolai		
21 T **Pyhä Tuomas — Apostoli**		
22 K Rafael		
23 T Aatami		
24 P Eva		

25 L **Joulupäivä**	Jes. 9:1-6 Luuk. 2:1-20 Jes. 11:1-5	Valkoinen

26 S **Joulun jälk sunnuntai Tapaninpäivä**	Gal. 4:1-7 Luuk. 2:33-40 Jes. 8:9-15	Valkoinen

27 M **Pyh. Johannes, Evank.**		
28 T **Viattomien lasten päivä**		
29 K Rauha		
30 T David		
31 P Sylvester		

Suomi Konferenssin vuosikokous ja -julhat kesäk. 19—21 p:nä 1964 Fairport Harborissa, Ohio

(Toivo V. Rosenberg)

"Jo joutui armas aika Ja suvi suloinen.
Kauniisti joka paikkaa Koristaa kukkanen.
Nyt siunaustaan suopi Taas lämpö auringon,
Se luonnon uudeks luopi, Sen kutsuu elohon."

NÄMÄ tutut suomalaisen suvivirren sanat kaikuivat sunnuntaina kesäkuun 21 p. 1964 Suomi Konferenssin vuosijulien juhlajumalanpalveluksen alkaessa Siion luterilaisessa kirkossa Fairport Harborissa, Ohiossa. Kirkko täytenään juhlakansaa oli omiaan todistamaan Suomi Konferenssin merkityksestä suomalaiselle luterilaiselle kirkkokansalle uudessa Lutheran Church in America. Sanan julistajana juhlajumalanpalveluksessa toimi tri Taito A. Kantonen, Hamma Seminaarin systemaattisen teologian professori Wittenbergin Yliopistossa Springfieldissä, Ohiossa.

Juhla ja kokous, jota vietettiin, oli vuoroltaan toinen. Perustava kokous pidettiin Detroitissa, Mich. heinäkuun 1 p. 1962. Ensimmäinen vuosikokous ja -juhla vietettiin Wakefieldissä, Mich. Tämän ensimmäisen onnistuneen vuosijuhlan innoittamana kokoonnuttiin uudelleen Fairport Harboriin, Siion luterilaisen seurakunnan suojiin kesäkuun 19—21 p. 1964 viettämään toista vuosijuhlaa. Juhlan teemana olivat seuraavat hengellisen laulun ja virren tutut sanat: "Joutukaa, sielut, on aikamme kallis!"

Tultiin koolle tuntien ajallisuutemme ja katoavaisuutemme. Etsittiin katoamatonta. Oli suurta saada tulla koolle suomalaisena kansana, tutun ja rakkaan äidinkielen joka taholla vielä kuuluvana. Kieli kuitenkin lopullisesti on vain väline. Niin Suomi Konferenssin toiminnassakin. Tahto ja rukous oli, että Jeesus Kristus, joka on sama eilen ja tänään ja ian-

Siion seurakunnan pastorit, Henry Leino ja Toivo Rosenberg, jakavat H. P. ehtoollista

kaikkisesti, tulisi kirkastetuksi. Tavoitettiin sanomaa Kristuksesta syntien anteeksinatamiseksi, iankaikkiseksi elämäksi ja autuudeksi, vastauksena katoavaisuudellemme. "Taivas ja maa katoavat, mutta minun sanani eivät katoa."

Korostus kouraan tuntuvasti oli täten juhlilla sa-

nan julistuksella. Vaikkakaan ehkä tätä seikkaa ei
oltu virallisesti paikallisen toimikunnan tietoon tuo-
tu, joka oli vastuussa juhlista ja ohjelmasta, joka ta-
pauksessa näiden vuotuisten Yhdysvaltojen ja Kana-
dan suomalaisen luterilaisen kristikansan tahtona
kokoontua ammentamaan elämän vettä sanan kirk-
kaalta lähteeltä vaistottiin. Suunta juhlille on jo tä-
hän toiseen vuosijuhlaan mennessä ilmeisesti mää-
rätty. Vaikkakaan ei tosin osanoton kokonaismää-
rien suhteen voi verrata tätä vuosijuhlaamme Suo-
men suuriin hengellisiin juhliin, joita siellä vuotui-
sin kesän aikana vietetään, niin silti voi olettaa että
kansa täällä lähestyy näitä juhlia samalla suurella
odotuksella pyrkiessään sanan ääreen.

Avajaisjumalanpalveluksessa perjantai-iltana sanan
julistajina toimivat pastori Wayne Niemi Warrenista,
Ohio ja pastori Eino Vehanen, professori Chicagon
luterilaisesta seminaarista, Maywood, Ill. Ehtoollis-
jumalanpalveluksessa seuraavana aamuna saatiin jäl-
leen kuulla vankkaa evankeliumin julistusta, julista-
jana toimien entisen Suomi Synodin tunnettuja pio-
neereja, tri John Wargelin. Tätä seuraavaa vuosi-
kokousta johti tri Raymond W. Wargelin, Suomi
Konferenssin esimies. Hän on toiminut Suomi Kon-
ferenssin esimiehenä sen syntymästä saakka, huoli-
matta siitä että nykyisin hän, virkansa suhteen uu-
dessa kirkkokunnassa, on jotenkin etäällä suomalai-
sesta kirkkokansasta. Kokous ilmaisi kiitollisuutensa
esimiehelle voimiensa ja kykyjensä uhraamisesta tälle
työlle.

Luento- ja keskustelutunti, joka seurasi oli yhtenä
juhlien huippukohtana. Luennon piti tri T. A. Kan-
tonen, aiheenaan ollen "Jäsenyys Kristuksen seura-
kunnassa." Maallikkotunti, vapaata ohjelmaa juhla-
yleisön esittämänä seurasi. Tätä johti mr. John Järvi
Conneautista, Ohiosta. Sana ja Sävel juhlan nimessä

Siion seurakunnan suomenkielinen kuoro laulaa

kokoonnuttiin Siion seurakunnan kirkkoon lauantai-
iltana. Julistajina olivat pastorit Wilbert G. Ruoho-
mäki, Crystal Falls, Mich. ja Paavo Paananen, Tim-
mins, Ontario, Canada. Illan musikaalinen ohjelma
oli perin korkeatasoista. Myös erittäin vaikuttava oli
Fairport Siionin Kirkko- ja Kotiseuran lausuntakuo-
ron esitys "Tuhlaajapoika". Suvinen sunnuntai ju-
malanpalveluksineen oli tosi juhlaa. Iltapäivällä
vielä kokoonnuttiin viettämään kotiinlähtöjuhlaa.

Saarnaajina toimivat Siion seurakunnan entiset opettajat, tri Bernhard Hillilä, Hamma seminaarin dekaanus, ja tri Raymond W. Wargelin. Edellä mainitun sanan julistuksen lisäksi oli arvokasta kuorojen, urku-, piano-, huilu-, ynnä muuta musikaalista ohjelmaa, jotka runsaasti rikastuttivat juhlia, joka varmasti kaikui kansan korvissa kauan vielä kotiin palattua. Yleensä oli todettava, että oli saatu kuulla vankkaa evankeliumin juilstusta, josta oli tosin evästystä ei vain ainoastaan ajalliselle, vaan vielä taivaalliselle kotimatkalle. Joka taholla oli vain kuultavana kiitollisuutta Jumalalle kaikesta siitä mitä oli saatu vastaanottaa juhlien aikana.

Huomatuin määrä vieraita ulkopuolelta omaa aluetta oli saapunut Kanadasta. Linja-autollinen kan-

Siion seurakunnan nuorisotalo ja koulurakennus

saa oli saapunut Torontosta, pastori Lesley Lurveyn johdolla. Tämän lisäksi oli joitain edustajia Illinoisista, Massachusettsista, Michiganista ja Minnesotasta. Oma Ohion alue oli tyydyttävästi edustettuna. Osanotto kokonaisuudessaan oli tyydyttävä. Tulevien juhlien suhteen on tosin todettava ja toivottava, että vahvempi edustus muilta alueilta ulkopuolelta isäntäseurakunnan omaa aluetta saavutettaisiin. Muussa tapauksessa hyvin pian nämä Yhdysvaltoja ja Kanadaa käsittävät juhlat, vaikkakin siksi tarkoitetut, muuttuvat aluejuhliksi. Suomalaista kansaa täten kehoitetaan jo valmistelemaan ensi vuoden Suomi Konferenssin juhlia varten ja edustuksellaan tekemään niistä todella Yhdysvaltoja ja Kanadaa edustavat juhlat. Toivottavasti seuraten Toronton suomalaisten esimerkkiä linja-autollisin saapuu väkeä ensi kesän juhlille.

Olemme täällä erittäin iloisia siitä, että olemme saaneet olla isäntäseurakuntana näille toisille vuotuisille Suomi Konferenssin vuosijuhlille täällä Siionin suojissa. Suokoon Herra, että olisimme olleet herkkiä sille kutsulle jonka Herra sanansa kautta meille niin kouraan tuntuvalla tavalla antoi näiden päivien aikana kesällä 1964, Fairportin Siionissa.

> "Joutukaa sielut, on aikamme kallis,
> Vuotemme virtana vierivi pois,
> Jeesus ei syntisen sortua sallis,
> Kaikille armosta autuuden sois.
> Oi valitkaa tie, joka elämään vie!
> Kohta jo päättynyt päivämme lie."

Suomi-Konferenssin
vuoden 1963-64 vuosikertomus

(Raymond W. Wargelin)

(Esitetty Fairportissa, Ohiossa, kesäk. 20 p. 1964)

SUOMI-KONFERENSSIN toiminta on pääasiallisesti alue-konferensseissa lukuunottamatta yleisen kirjeenvaihdon ja suunnitelmien luomista, mikä velvollisuus kuuluu toimeenpanevalle toimikunnalle. Toimeenpanevaan toimikuntaan ovat kuuluneet allemerkinnyt, p.j.; pastori E. J. Kunos, v.p.j.; pastori Olaf Rankinen, kirj.; Frank Kaarto, r.h.; sekä pastori Paavo Paananen, yleinen jäsen. Aluekonferenssien puheenjohtajat ovat myös oikeutetut osallistumaan toimeenpanevan toimikunnan kokouksiin. Nämä viimeiseksi mainitut virkailijat ovatkin osallistuneet toimikunnan kokouksiin lukuunottamatta Idän, Kalifornian sekä Kolumbian alue-konferenssien puheenjohtajat.

Toimeenpaneva johtokunta on kokoontunut kuluneen vuoden aikana kaksi kertaa; kerran Wakefieldin vuosijuhlien aikana ja toisen kerran Chicagossa marraskuulla 1964. Tehtäviä on ollut melko runsaasti, kuten tämä selostuskin todistaa. Ensinnäkin oli toimikunnan huolena luoda suunnitelmat Fairportin vuosijuhlia varten vuonna 1964.

Toimeenpanevan toimikunnan huolena on myös hoidella Suomen Kirkon stipendi-asiat. Suomen Kirkko on ilmoittanut, että luku-stipentti Helsingin Yliopistossa jatketaan Suomi-Konferenssin hoitaessa anomuspyyntöjä kutakin vuotta varten. Hakijoina vuoden 1964-65 stipenttiä varten ovat olleet pastorit Rodger Foltz, Edwin Kyllönen ja John Bispala. Toimikunta hyväksyi John Bispalan anomuksen; Suomen Kirkon laajennetusta piispain kokouksesta on ilmoitettu, että hänet on hyväksytty. Näin jatkuu edelleen tämä mielenkiintoinen ja arvokas stipentti; samoin jatkuu koettavalla tavalla se vaikuttava yhteys Suomen Kirkon ja LCA-kirkossa olevan suomalaisen ainehiston kanssa!

Vuoden 1965-66 stipentti on nyt mahdollista uudestaan anoa. Anomusaika kestää helmikuulle 1965; hakijoiden tulee olla joko Suomi-Konferenssin jäsenyydessä olevat papit taikka Suomi-Konferenssin jäsenyydessä olevien seurakuntien nuoret miehet, jotka lueskelevat LCA-kirkon seminaareissa. Kunkin hakijan on annettava toimeenpanevalle toimikunnalle kirjeellinen selostus lukusuunnitelmistaan ja yleisistä tavoitteistaan stipendiin nähden.

Suomi-Konferenssin puolesta on annettava LCA-kirkon esimiehelle (ja hänen kauttansa Executive Councilille) kirjoitettu vuosikertomus kunkin vuoden huhtikuussa konferenssin vuositoiminnasta. Vuosikertomuksen on käsitettävä myös selostus alue-konferenssien toiminnoista sekä tiliselostus yleisen konferenssin raha-asioista. Tilikertomuksen tulee olla Certified Public Accountant-henkilön tarkastama ja hyväksymä. Suomi-Konferenssin tilejä on tarkastanut kuluneena vuonna Ernst ja Ernst-firma Ironwoodissa, Michigan. Tässä seuraa hyväksytty tilikertomus:

No. 1. Juhlayleisöä Siion kirkossa Suomi-Konferenssin juhlilla v. 1964.

Statements of Receipts and Disbursements
Suomi Conference

Period from July 1, 1963 to June 9, 1964

GENERAL FUND

Receipts:

Contributions for Dr. Kurki-Suonio trip	$ 974.00
Other contribution	10.00
TOTAL RECEIPTS	$ 984.00

Disbursements:

Reimbursement for travel to Publication Fund	$ 50.00	
Trip expenses—Dr. Kurki-Suonio	804.05	
Travel expense—Dr. Wargelin ..$22.85		
Rev. Kunos ... 5.50		
Rev. Ruohomaki 18.15		
Rev. Rankinen 5.75		
F. Kaarto 13.80	66.05	
Committee meeting expense	21.14	
Telephone	17.05	
Postage	34.70	
Advertising	25.90	
Wakefield Festival expense	17.00	
Office supplies	15.89	
TOTAL DISBURSEMENTS	1,093.75	

EXCESS OF DISBURSEMENTS	$ 109.75
Cash balance at July 1, 1963	1,523.11
CASH BALANCE AT JUNE 9, 1964	$1,413.36

PUBLICATION FUND

Receipts:

Subscriptions to Suomalainen	$4,858.26
Sales of Kirkollinen Kalenteri	2,381.95
Obituary fees	360.00
Contribution from Women's Interchurch Council	150.00
Reimbursement for travel from General Fund	50.00
TOTAL RECEIPTS	$7,700.21

Disbursements:
Suomalainen—
Publishing (12 months) $6,447.55
Editing (12 months) ...   630.00 $7,077.55

Kirkollinen Kalenteri—
Publishing $2,400.00
Editing 300.00   2,700.00

Refund of Suomalainen subscriptions   9.00
Travel expense—Rev. Anttila
(General Fund) 50.00
Postage and mailings 81.17
Office supplies 86.97
Advertising 8.00
Canadian discount 27.47

TOTAL DISBURSEMENTS 10,040.16

EXCESS OF DISBURSEMENTS .... $ 2,339.95
Cash balance at July 1, 1963 ....   3,741.87

CASH BALANCE AT JUNE 9, 1964 ..... $ 1,401.92

Without making an independent verification of receipts
we have examined the above statements of Suomi Con-
ference and, based upon such examination, we believe the
statements fairly present the cash transactions of the
Suomi Conference for the period from July 1, 1963 to
June 9, 1964.

ERNST & ERNST
Certified Public Accountants
Ironwood, Michigan
June 10, 1964

Toimeenptnevan toimikunnan tehtäviin on kuulu-
nut myös kiertuematkan järjestäminen Suomi-Konfe-
renssin kutsupuhujalle Suomesta, tri Erkki Kurki-
Suoniolle. Tämä tehtävä vaatii paljon kirjeenvaihtoa
seurakuntien sekä puhujamme kanssa. Matka kesti
suunnilleen yhden kuukauden (toukok. 9 p:stä ke-

No. 2 Juhlayleisöä Siion kirkossa Suomi-Konferenssin juhlilla v. 1964.

säk. 8 päivään). Puhujamme ennätti ajan lyhyydestä huolimatta kiertää Kanadassa ja USA'n kaikilla puolilla, vieläpä kaukolännessäkin. Tämä oli mahdollista sentähden, että enin osa matkasta suoritettiin lentoteitse. Olemme kiitollisia niille pastoreille jotka avustivat autokyydeillä lyhemmissä matkayhteyksissä. Matka käsitti seuraavat paikkakunnat: Brooklyn, New York, Worcester, Brooklyn, Conn., Montreal, Toronto, Sudbury, Sault Ste. Marie, Port Arthur, Duluth, Hancock, Rock, Ishpeming, Wakefield, Crystal Falls, Ashtabula, Fairport, Monessen, Conneaut, Waukegan, Los Angeles, Berkeley, San Francisco, Portland, Astoria ja Naselle, Washington. Kaikkialla oltiin varsin tyytyväisiä ja kiitollisia puhujaamme. Ehkä tämän matkan toteuttaminen oli Suomi-Konferenssin kaikkein kiitettävin asia vuoden 1963-64 toiminnoissa. (Fairportin vuosijuhlilla päätettiin, että tätä toimintaa tulee jos suinkin mahdollista jatkaa. Toimikunta on ryhtynyt suunnitelmiin vuotta 1965 varten.)

Toimeenpanevalle toimikunnalle kuuluu myös julkaisu-toiminnan vaaliminen. Tämä on käsittänyt Suomalainen-jukaisumme vaaliminen ja tukeminen. Julkaisun toimittajana on toiminut tämänkin vuoden aikana tri Armas Holmio. Toimikunta on vaalinut, että kirjoitusten kirjoittajia on ollut riittävästi tukemaan toimittajan työtä. Julkaisu on kärsinyt tilaajien vähentymisestä. Fairportin vuosijuhlien aikana toimeenpaneva toimikunta havaitsi tämän aineellisen tilanteen olevan niin kireällä, että se on tehnyt päätöksen lopettaa julkaisun julkaisemisen vuoden 1964 lopussa. Jotta ei velkaa jäisi, on toimikunta pyytänyt, että seurakunnista lähetettäisiin joulu-ilmoituksia (liikkeistä) sekä joulu-tervehdyksiä yksityisiltä. Jottei Suomi-Konferenssin kansa jäisi ilman painetun sanan yhteyksiä, on toimeenpaneva toimikunta ottanut kannan suosittaa toiminnassa olevia suomalaisia sanomalehtiä sen jäsenille. Toimikunta suosittaa, että Suomi-Konferenssin kansa hankkisi tilauksia *Amerikan Uutisilta* (New York Mills, Minn.), *New Yorkin Uutisilta* (Brooklyn, N. Y.), *Vapaa Sana* (Toronto, Ont.) ja *Kanadan Uutisilta* (Port Arthur, Ont.). Näihin lehtiin voidaan lähettää kansankirjeitä, jotta tieto toiminnoista muilla paikkakunnilla jatkuisi suomalaisten keskuudessa. Tämän lisäksi on toimeenpanevan toimikunnan puolesta saatu lupa julkaista lyhyitä hartauskirjoituksia Suomi-Konferenssin papeilta näissä lehdissä. Pastori Leslie Lurvey Torontossa tulee olemaan tämän toiminnan asianajajana. Luotamme siihen, että kaikki entiset kirjoituksien kirjoittajat kernaasti antavat apuaan tähän suunnitelmaan. On ymmärrettävä, että näiden hartauskirjoituksien tulee olla lyhyitä sekä kiistattomia sisällöltään.

Julkaisutyöhön on kuulunut toimikunnan velvollisuuksiin *Kirkollisen Kalenterin* julkaiseminen. Vuoden 1964 Kirkollista Kalenteria painettiin 2500 kappaletta. Myydyksi tuli yli 2400. Näin ollen kirja oli juuri itsensä kannattava niin että kirjan jatkuva julkaiseminen on mahdollista. Luotamme, että vuoden

33

1965 K.K. saa riittävän kannatuksen. K.K.'n toimittaja on edelleenkin allemerkinnyt.

Toimeenpanevan toimikunnan tehtäviin on myös kuulunut vuotuinen uudelleen registeeraus niin seurakuntien keskuudessa kuin myös pappisjäsenten keskuudessa. Fairportin vuosikokouksessa ilmeni, että tätä vuotuista registeerausta edelleenkin kannatetaan. Vuotuinen registeeraus on vakuutus siitä, että Suomi-Konferenssin jäsenseurakunnat sekä pappisjäsenet ovat todellakin jäseniä toiminnassa ja teoissa.

Muutama sana olisi myös tässä paikallaan kehoitukseksi Suomi-Konferenssin jäsenille. Emme tiedä miten kauan tämä toiminta jaksaa jatkua. Todellisuudessa se on välitysmuoto, jonka kautta suomalainen aines LCA-kirkossa voi ylläpitää tutunomaisen ja kotoisen tunnon tämän suuren englanninkielellä toimivan jäsenistön keskuudessa. Suurpiirtein Suomi-Konferenssin on suorittanut varsinaisen tehtävänsä, kun suomenkielisiä yhteyksiä emme enään tarvitse hoidella. Tämä voi olla kauankin aikaa. Toisaalta, Suomi-Konferenssin toiminta voi loppua paljon ennen kuin suomenkielisiä yhteyksiä tarvittaisiin seurakuntien ja yksityisten välillä. Suomi-Konferenssi voi loppua johtaja-aineksen puutteesta. Pääasiallisesti, johtajat Suomi-Konferenssille ovat sen pappisjäsenet. Johtaja-ainesta tulisi kuitenkin olla maallikkojenkin keskuudessa. Sitä ei Suomi-Konferenssin toiminta näinä vuosina ole kuitenkaan osoittanut olevan riittävän paljon. Kun papistomme siirtyy seurakunnista toisiin seurakuntiin, niin tämä siirto harvoin on enään toiseen entiseen suomi-synodilaiseen seurakuntaan. Tulee vieraskielinen pappi, joka saattaa ymmärtää hyvin vähän tästä toiminnasta. Silloin johto häviää ja yhteydet häviävät, jollei seurakunnassa oleva suomalainen aines pidä esillä jonkinlaista johtoa Suomi-Konferenssin toiminnan vuoksi. Ehkä olisi hyvä, jos kaikkiin Suomi-Konferenssin jäsenseurakuntiin valittaisiin *seurakunnan oma Suomi-Konferenssin toimikunta,* vaikkapa kolmesta viiteen jäseneen asti. Tämän tapainen paikallinen toimikunta valvoisi tiedonannoista, aluejuhlien ajasta ja paikasta, toimisivat asiamiehinä Suomi-Konferenssin asioille seurakunnassa. Tämän tulisi tapahtua paikallisen pastorin ja kirkkoneuvoston täydellä myötävaikutuksella.

Toiminta Alue-konferensseissa

Kalifornian Alue

Toimikunta kokoontunut	1 kerran
Juhlia vietetty	1 kerran
Raamattuleiri pidetty	Ei

Kanadan Alue

Toimikunta kokoontunut	3 kertaa
Juhlia vietetty	2 kertaa
Raamattuleiri pidetty	Ei

Kolumbian Alue

Toimikunta kokoontunut	1 kerran
Juhlia vietetty	1 kerran
Raamattuleiri pidetty	Ei

Idän Alue
Toimikunta kokoontunut   4 kertaa
Juhlia vietetty   2 kertaa
Raamattuleiri pidetty   Ei

Illinoisin Alue
Toimikunta kokoontunut   2 kertaa
Juhlia vietetty   1 kerran
Raamattuleiri pidetty   Ei

Michiganin Alue
Toimikunta kokoontunut   2 kertaa
Juhlia vietetty   3 kertaa
Raamattuleiri pidetty   On

Minnesotan Alue
Toimikunta kokoontunut   2 kertaa
Juhlia vietetty   4 kertaa
Raamattuleiri pidetty   On

Ohion Alue
Toimikunta kokoontunut   3 kertaa
Juhlia vietetty   3 kertaa
Raamattuleiri pidetty   On

Kanadan Suomi-Konferenssin seurakunnat ovat nähneet tarpeelliseksi saada suomenkielisen käännöksen LCA-kirkon seurakuntien mallisäännöille. Vaikka käännös ei ole varsinaisesti virallinen, on Suomi-Konferenssin toimeenpaneva johtokunta hankkinut oikeuden kirkon esimieheltä, jotta suomenkielellä toimivat seurakunnat voivat käyttää näitä sääntöjä. Näitä suomenkielellä painettuja sääntöjä voidaan tilata pastori Leslie Lurveylta Torontosta, Ontario, Kanada.

Vuonna 1965, jos Herra sallii, kokoontuu Suomi-Konferenssi kansainvälisiin juhliinsa Siion seurakunnan luona Port Arthurissa, Canadassa. Toivomme, että USA'n puolelta matkustaa silloin paljon juhlille menijöitä, kuten kanadalaiset tekivät Fairportin kansainvälisiin juhliin kesällä 1964.

Länteen lähetettynä

(Erkki Kurki-Suonio)

Vähän ennen joulua 1963 sain kutsun Suomi Konferenssin toimeenpanevalta komitealta sen puheenjohtajan, teol. tohtori Raymond Wargelinin kautta tulla vierailemaan Pohjois-Amerikan suomalaisissa seurakunnissa. Oli kysymys vähintäin kah-

Tohtori Erkki Kurki-Suonio

desta kuukaudesta. Vastasin, että voisin lupautua korkeintaan kuukaudeksi, koska omat virkavelvollisuuteni vaivoin sallisivat pitempää poissa oloa. Kun kut-

38

suja tyytyi tähän, sovittiin matkastani. Sain siihen edustusvaltuuden Suomen Kirkon Seurakuntatyön Keskusliiton Diasporatoimikunnalta ja myös arkkipiispa Ilmari Salomieheltä, joka antoi mukaani kirjelmän esitettäväksi Yhdysvaltojen ja Kanadan suomalaiselle kirkkokansalle.

Tämä erittäin ajankohtainen ja herkästi ilmaistu tervehdys luettiin yleensä aina aluksi niissä seurakunnissa, joiden juhliin osallistuin. Monessa paikassa se kuunneltiin seisten ja sen päätteeksi veisattiin "Oi Herra, siunaa Suomen kansa". Selvästi tunsin, miten lämpimin ja ylentynein sydämin arkkipiispamme sanat otettiin vastaan.

Toinen ohjelman kohta, mikä toistui vierailupaikoissani, oli Suomen Pyhäkouluyhdistyksen filmin esitys. Se vei meidät pariksikymmeneksi minuutiksi katselemaan Kuhmon Lentiiran rajaseutupapin Jorma Kaukon toimintapiirissä Kainuun itäisillä seuduilla tapahtuvaa seurakuntatyötä, salojen ja metsäjärvien jylhänkauniita maisemia ja sodan hävittämien tienoiden jälleenrakennuksen tuloksia.

Täten Suomen kirkko kahdella tavalla ikäänkuin seurasi mukanani ja muistutti siitä, että en liikkunut omilla asioillani.

Ohjelman supistuminen yhden kuukauden puitteisiin esti käymästä edes kaikissa huomattavimmissakaan suomalaiskeskuksissa. En ehtinyt esim. käydä Fitchburgissa, Detroitissa, Hibbingissä y.m. paikoissa, en myöskään Suomi Konferenssin yhteisessä vuosijuhlassa, joka pidettiin Fairport Harborissa pian paluumatkani jälkeen.

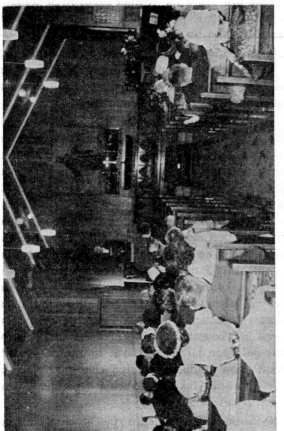

Tohtori Kurki-Suonio Canadan Soon saarnatuolissa

Miten nopeasti nykyään liikutaankaan. Lähdin Suomesta 6/5 klo 6 ip. (neljän sukupolven siunausten saattelemana) ja saavuin minuutilleen määräaikaan New Yorkiin 7/5 klo 9:45 ap.

Länteen päin lennettäessä tajutaan väkevästi, että me suomalaiset kuulumme kulttuurimme puolesta sinne päin. Siirtymisen äkillisyydestä huolimatta on havaittavissa vain vähän muutoksia.

Eroavuudet häipyvät kerrassaan, kun Gloria Dei seurakunnan sielunpaimen Kaarlo Keljo toivottaa tulijan tervetulleeksi sujuvalla suomenkielellä. Aidosti suomalainen on hänen pappilansa, ja sen teologinen kirjasto on yhtä hyvin uusimman tutkimuksen tasolla kuin parhaat kotikirjastot Suomen pappiloissa. Keskustelu keskittyy siellä vaivattomasti tämän hetken luterilaisen tietämisen suuriin peruslinjoihin. Kaikkein kotoisinta on samana iltana pidetty seurakuntailta, jossa kaikki tapahtuu suomeksi. Veisataan tuttuja virsiä, kuullaan koristelematonta evankeliumin julistusta, hiljennytään ilman sensaation tavoittelua ottamaan vastaan Kristuksen vakavaa kutsua parannukseen ja uskoon aivan kuten Suomessakin. Kirkkokahvit ohjelman jälkeen auttavat tutustumaan välittömästi. Saan kuulla ihmeellisiä elämäntarinoita ja merkitä muistiin lukuisia terveisiä tapaamieni henkilöiden omaisille Suomeen.

New York oli suunniteltu pysähtymispaikakseni neljäksi päiväksi. Ennakolta arvelin sitä suhteettoman pitkäksi ajaksi verrattuna muuhun matkaohjelmaan. Kokemus osoitti kuitenkin toisin. New York ei ole pelkkä yksi paikkakunta, pikemminkin kuin iso maakunta. Ohjelmani tässä metropolissa jakautui Gloria Dei seurakunnan ja Harlemin suomalaisen seurakunnan välille sekä vierailuihin eräissä kodeissa.

11/5 lähdin Greyhound-bussissa kohti Worcesteria. Nämä vinttikoiriin verratut mailinnielijät ovat nimensä ja maineensa veroisia ja niiden kuljettajat korkean luokan taitajia. Kun lisäksi ilma oli ihana, kuten lähes koko matkani ajan, ja ohi kiitävät maisemat kultivoitua kauneutta täynnä aivan kuin viehättävin maaseutu vanhassa Englannissa, muodostui tästä maanantaipäivästä mitä miellyttävin elämys. Erityisesti ihailin klassillista uus-englantilaista rakennustyyliä, joka niin sirosti sulautui ympäröivään luontoon.

Worcesterissa sain nauttia Suomi-Synodin veteraanin, past. Viljo Heimanin vieraanvaraisuutta. Seurakuntaillassa kohtasin ensimmäisten joukossa entisen rippikouluoppilaani puolisoineen ja monia tuttavieni tuttuja. Eräitä heistä oli saapunut etäältäkin, mm. Fitchburgista.

Seuraavana päivänä pääsin past. Heimanin kyyditsemänä Brooklyniin, Conn. Olin todellisella opintoretkellä, saaden kokeneelta isännältäni kiinnostavia tietoja näiden seutujen suomalaisten siirtolaisuudesta ja heidän kirkollisen toimintansa vaiheista. Perillä nautimme Hannosten kauniissa kodissa maaseudun rauhasta ja kestiystävyydestä. Kirkkojuhla jämerien suomalaisten farmarien parissa jäi mieleen harvinaisen hartaana, mieltä hiljentävänä, samoin yhdessäolo kirkkokahvilla Kotilaisten, Hakalain, Rajanienten, Kaskelain ym. kanssa.

Pappeja ja papinemäntiä Illinoisin alueen juhlilla Waukeganissa toukokuun 31 pnä. Vasemmalla tohtori Erkki Kurki-Suonio.

Lento 13/5 Montrealiin siirsi kulkijan vaivatto-
masti Kanadaan. Jälleen jouduin Suomi-Synodin ve-
teraanin, tällä kertaa past. Yrttimaan ystävälliseen
hoitoon. Kohta olin Suomen Yleisradion sikäläisen
edustajan, mr. Kuutin, haastateltavana. Täällä, ku-
ten muissakin vierailupaikoissa Kanadassa, helpotti
yhteyden ottamista suomalaisiin se, että eräs sukulai-
seni oli ollut siellä eri kaupungeissa lääkärinä aikai-
semmin.

14/5 matka jatkui lentäen Torontoon. Vastaan-
ottajina kohtasin lentokentällä mm. past. Lurveyn ja
mr. Heikurisen. Viimemainittu on vanhoja ystäviä-
ni. Oli ilo päästä hänen kotiinsa, jossa virsi kajahti
vastaan jo ulko-ovelta ja tapaamisesta muodostui to-
delliset kotiseurat. Past. Lurveyn luotettavassa seu-
rassa oli tilaisuus tutustua Kanadan suomalaisten seu-
rakuntien tärkeimpiin kysymyksiin. Päivä oli täynnä
kiinnostavaa ohjelmaa: Mm. käynti ja haastattelu
Vapaan Sanan toimituksessa ja pistäytyminen suoma-
laisen mieskuoron harjoittelupaikalla; se oli kokoon-
tunut eri osista Yhdysvaltoja ja Kanadaa ja piti pää-
harjoitustaan ennen Suomeen kohta tehtävää kon-
serttimatkaansa; valitettavasti oli juuri ruokailutau-
ko, joten en päässyt kuulemaan kuoron laulua. Aika
ei liioin riittänyt, käydäkseni eestiläisten siirtolaisten
suurilla laulujuhlilla, joita parhaillaan pidettiin To-
rontossa.

Veljeskansamme voimakkaista yhteispyrinnöistä sain
toista tietä käsityksen, kun illalla suomalaiset kokoon-
tuivat eestiläisen seurakunnan uljaaseen pyhäkköön.

Tuntui miltei käsittämättmältä, miten tyhjinä maahan saapuneet pakolaiset olivat saaneet aikaan lyhyessä ajassa jotain näin arvokasta. Heidän sielunpaimenensa Puhm otti meidät vastaan arvokkaasti ja lämpimästi. Huomasi "Suomen siltaa" rakennettavan Kanadassa kauniisti ristin evankeliumin voimalla Eestin ja meidän välillemme. Ehtoolla seurakuntasalissa lujitettiin sielujen siltaa Kanadan ja Suomen luterilaisen kristikansan välille.

Virkistävänä pysähdyspaikkana automatkalla Torontosta Sault Ste. Mariehin oli Sudbury, missä oli kodikas kirkkojuhla.

Miten runsaasti jäikään vaikutelmia Sault Ste. Mariessa vietetystä Kanadan luterilaisten suomalaisten vuosijuhlasta: Suuri yhteinen Herran Ehtoollisen vietto; neuvostelu siitä, mitä olisi tehtävä Kanadan seurakuntien pappispuutteen poistamiseksi; ohjelman väliaikoina alasalissa pidetyt "rakkaudenatriat" monine keskusteluineen; Kanadan suomalaisen evankelioimisseuran ja luterilaisen kirkon keskinäisen suhteen rakentava pohdinta.

Erityisesti virkisti mieltä myös eräällä väliajalla tehty käynti uuden pappilan rakennuksella. Sen näkeminen todisti liikuttavalla tavalla sitä rakkautta, mikä täällä ympäröi sananpalvelijan kotia. Seurakuntalaiset olivat todenneet vanhan pappilan paikan levottomaksi ja epäviihtyisäksi. Senvuoksi oli uhrauksia kaihtamatta hankittu tontti kauniista kaupunginosasta ja ryhdytty rakentamaan. Uusi tilava, kaikin mahdollisin mukavuuksin varustettu pappila oli jo lähes valmis. Suuri osa töistä oli suoritettu talkoina. Seurakuntalaisten ja pappilan väen keskinäinen rakkaus oli pitkin matkaa eräs kauneimpia nähtävyyksiä. On sääli, että pappispuute vaikeuttaa sielunpaimenten saamista useaan seurakuntaan, mihin häntä kaivattaisiin. Esim. Port Arthurissa toisen suomalaisen seurakunnan pastori sanoi aikovansa siirtyä muulle alalle ja toisen pastori kertoi lähtevänsä papinvirkaan toisaalle. Koska varsinkin suomenkielen taitoisia pappeja on vaikea saada Kanadaan tarpeeksi, herää kysymys, eikö asian auttamiseksi voitaisi olla vuorovaikutuksessa Atlannin yli. Monelle Suomen nuorelle pappismiehelle olisi kehittävää joutua seurakuntatyöhön vaikkapa vain vuosikymmeneksi Amerikan manterelle; kielitaito varmistuisi, elämänkatsomus avartuisi ja Lännen erilaiset, suurta alotekykyä ja tarmoa vaativat olosuhteet lujittaisivat kutsumustietoisuutta. Samalla täten osaltaan vahvistettaisiin hengen yheyttä eri puolilla maapalloa elävien suomalaisten kristittyjen kesken.

Viimeinen vierailupaikkani Kanadassa oli Port Arthur. Sieltä siirryin USA:han, ensin Duluthiin, sitten vuorollaan viiteen eri seurakuntaan Michiganissa, sieltä Ohioon ja Pennsylvaniaan, Illinoisiin, Kaliforniaan, Oregoniin ja viimeksi Washingtonin valtioon. Kanadan ja Michiganin maisemat muistuttivat suuresti Suomea; Ohiossa ja siitä edelleen oli jo paljon toisenlaisia piirteitä ja Kaukaisessa Lännessä tietysti ihan erilaista. Mutta luterilaiset suomalaiset olivat yhtä miellyttäviä ja tutunomaisia ja vastaanottajina yhtä sydämellisiä kuin edellisissäkin paikoissa. Hancock, Rock, Ishpeming, Wakefield, Crystal Falls, Ashtabula, Fairport Harbor, Monessen, Conneaut, Waukegan, Los Angeles, Berkeley, San Francisco, Portland, Astoria ja Naselle (eli Nyyssölä), siinä matkan jälkipuoliskon pysähdyspaikat lyhyesti lueteltuina, mutta miten paljon niistä kustakin olisikaan kerrottavaa. Siihen ei ole mahdollisuutta tällaisen lyhyen matkamuistelman puitteissa. Olen kirjoittanut niistä lukuisia artikkeleita "Kotimaahan" ja moniin muihinkin Suomen lehtiin.

Erityisiä kohokohtia näkemieni kauttaaltaan mieltäylentävien juhlien sarjassa olivat eräiden valtioiden alueella olevien seurakuntien yhteiset vuosijuhlat, Michiganin anniversary Crystal Fallsissa past. Ruohomäen ja past. Jalkasen johdolla, Illinoisin vastaava juhla Waukeganissa past. Kunosin johdolla, Kalifornian juhla San Franciscossa past. Ahosen johdolla ja Oregonin ja Washingtonin seutujen yhteisjuhla "Nyyssölässä" past. Wilkmanin johdolla. Näissä tilaisuuksissa sain tavata monia virkaveljiä koolla ja seurata heidän keskusteluaan Jumalan seurakunnan taisteluista, vaivoista ja voitoista. Oli myös kuultavana paljon hyvää kirkkomusiikkia monien kuorojen ja solistien esittämänä.

Eräissä paikoissa juhla pidettiin kaksikielisenä, ja tällöin näytti saatavan mukaan parhaiten lapsia ja nuorisoakin. Sellainen oli mm. seurakuntailta Rockin, Mich. kirkossa. Sinne oli saapunut myös Suomi-Konferenssin puheenjohtaja, tri Raymond Wargelin. Olen kiitollinen, että hän vaikeuksista huolimatta järjesti tämän tilaisuuden tapaamiseen, sillä keskustelu hänen kanssaan opasti vierasta perehtymään siihen tilanteeseen, missä suomalaiset seurakunnat parhaillaan ovat LCA:n yhteydessä.

Tällaisesta kiertomatkasta jäi kauniiden muistojen ohella jäljelle suuri määrä kiitollisuudenvelkoja: Suomi-Konferenssille, joka kustansi varsin kalliit matkat suureksi osaksi; Suomi-Seuralle, joka suoritti toisen puolen lentopileteistä Atlannin ylitse; niille vastaanottajille, jotka majoittivat, hoitivat, kutsuivat koteihinsa aterioille, veivät saunaan, kuljettivat autoillaan ja monilla muilla tavoilla tekivät matkustamisen mahdolliseksi ja miellyttäväksi. Kaikille heille olen yksityisesti kirjoittanut henkilökohtaisen kiitokseni, mikäli heidän osoitteensa ovat olleet tiedossani. Yhteinen kiitos vielä tässä Kalenterissa teille jokaiselle!

Tiedän oppineeni entistä syvemmin, miten paljon meille Suomessa merkitsee Suomi-Konferenssin ja Suomen kirkon välinen vuorovaikutus. On syttynyt halu omalta osalta edistää sitä, sillä se on varmasti Jumalan tahto. Onhan yhteys välillämme Herran oman sanan aikaansaamaa. Hän on ylläpitänyt sitä ettäisyyksistä ja esteistä huolimatta. Kiitos hänelle siitä!

LCA'n toinen kirkolliskokous Pittsburghissa

(Raymond W. Wargelin)

SUOMI-KONFERENSSIN jäsenten kirkolliskokous on nyt LCA-kirkkokunnan joka-toisena-vuotena kokoontuva kirkolliskokous. Tähän 3,227,000-lukuisen kirkon kirkolliskokoukseen lähettävät kirkkokunnan

LCA-kirkon esimiehelle (tri F. C. Fry, keskellä) annettiin virallinen piispan risti Pittsburghin kokouksessa.

32 maantieteelliset synodit 700 virallista edustajaa. Kirkkokunnan toimihenkilökunta lisää n. 300 ihmistä. Näin ollen virallinen kirkolliskokous käsittää suunnilleen 1000 henkilöä. Juhlatilaisuuksiin tulee tietysti verrattain paljon juhlakansaa, niin että ylei-

siin juhlatilaisuuksiin osallistuu usein n. 2000 ihmistä.

Pittsburghin vuoden 1964 kirkolliskokouksen kokouspaikkana oli ylevä 1000-huoneinen Pittsburgh Hilton hotelli, joka sijaitsee uudistetun kaupungin keskustassa, Allegheny ja Monongahela jokien yhtymiskohdassa . Nämä kaksi jokea muodostavat sitten tunnetun Ohio joen, joka taasen virtaa Mississippi jokeen, joka taas virtaa aina Meksikon lahteen. Pittsburgh on ennen ollut varsin pimeä ja savuinen kaupunki, koska USA'n terästeollisuus laajoine sulimoineen on pimittänyt ilmastoa. Kaupungin uudistamiseen on kuulunut savun poistaminen ja juhlavien uudenaikaisten rakennuksien rakentaminen vanhojen ränsistyneitten rakennuksien sijaan. USA'n alkuaikoina, jolloin siirtolaisuus pyrki lännemmäksi uudessa maailmassa, olivat nämä yllämainitut joet kulkuväylinä esiraivaajajoukoille matkalla keskivaltioihin ja lännen aavikoille ja kalliovuorille. Pittsburgh oli siis "Lännen Portti." Näin ollen vanha ja uusi kohtaavat toinen toisensa Pittsburghissa. Kirkollisessakin merkityksessä tuntui siltä, että entisyys ja nykyisyys kohtasivat toinen toisensa tässä kirkolliskokouksessa.

Entisyyteen kuuluvat uuden kirkkokunnan neljä perustavaa kirkkokuntaa, United Lutheran Church of America, Augustana Lutheran Church, American Evangelical Lutheran Church sekä Suomi Synod. Hyvin ovat nämä osat sulautuneet yhteen kuluneiden kahden vuoden aikana, perustavan Detroitin kirkolliskokouksen jälkeen.

Tri F. C. Fry, kirkkokuntamme esimies, vuosikertomuksessaan kirkolliskokoukselle sanoi näin: "Meillä on täydellinen syy olla kiitollisia Amerikan Luterilaisen Kirkon (LCA) ensimmäisestä bienniumista. Jos joku muu kirkon yhtyminen on saavuttanut niin korkeatasoisen elävän sisäisen yhtenäisyyden näin nopeasti, minun on vielä sellaisesta kuultava. Kunkin neljän yhtyvän kirkkokunnan ihmiset ovat tervehti-

LCA-kirkon Pittsburghin kokouksessa olevia edustajia.

neet toinen toisensa avosylin ja kaikkialla iloitsevat uudesta veljeydestä. Entiset uskollisuuden siteet, jotka olivat syvät sekä voimakkaat, ovat nopeasti hakeutuneet uuteen lojaalisuuteen, joka lupaa olla korkeampi ja voimakkaampi. Toinen toisen vastaanottaminen on yleistä. Minun parhaan ymmärrykseni mukaan, en tunne yhtäkään irrallista tyytymättömyyden pohjukan löytyvän missään osassa kirkkokuntaamme."

Jatkamme poimintoja tri F. C. Fryn vuosikertomuksesta: "Sulautuminen ja yhdistyminen, joka on tapahtunut, on ylittänyt kaikki toiveet. Mitä sanottiin toivossa vuonna 1962 on osoittautunut todellisuudeksi vuonna 1964: meidän neljä kirkkokuntaa ovat toinen toistaan tukevia ja täyttäviä, toinen toistaan rikastuttavia. Jumala tarkoitti niiden olemaan yhtenä. Monet, vieläpä sellaiset, jotka ennen olivat epäilevällä kannalla, tänään lausuvat vapaasti, kaikkien kuullen: meidän olisi pitänyt tehdä tämä jo kauan ennen."

"Tuskin kukaan voi kieltää yhtä tosiasiaa: nyt oli aika alottaa uudestaan. Kuten toiset kristityt olivat samanaikaisesti toteamassa, kaikkien meidän neljän alkuperäisten kirkkokuntiemme uudistaminen oli yliaikaista sekä varsin tähdellistä. Kuten me nyt sen käsitämme, tämä oli ei vähemmän kuin imperatiivistä. Meidän kirkkokunnat eivät voineet seisoa paikallaan kun nopeat yhteiskunnalliset virtaukset ja muutokset virtasivat ohitsemme. Ennallaan pysyminen olisi auttamattomasti merkinnyt jälelle jäämistä ja voimatta enentyvässä määrässä toimia Jumalan antamien tehtävien hoitamisessa. Vaikka ne käsittivät tätä totuutta taikka ei, monissa tärkeissä kohdissa ne edustivat mennyttä aikakautta."

"Paras osa LCA-kirkon muodostamisessa oli, että se avasi mahdollisuuden uudistukseen; se loi uudistamistyölle tarpeellisen ilmapiirin; uudistamisen elävä prinsiippi tuli tietoisesti istutetuksi sen sisimmäisempään olemukseen. JCLU-kommissionin ansioksi voidaan todeta, että mitä muodostettiin, ei ollut entisten käytösten tilkkutäkkiä. Se ei ollut, kuten toisinaan

tapahtuu, sarja kumarruksia, ensiksi tälle perinteelle
ja sitten toiselle. Kaiken kaikkiaan, perustuslakimme
ja uuden kirkkomme koko sielu sisältävät kaipauk-
sen, ja on tarkoitettu olemaan väylänä Jumalan Py-
hän Hengen jatkuvalle uudistamiselle."

Pittsburghin kirkolliskokouksen avajaisjumalanpalvelus.

"Katsokaa ensiksi perustuslakimme säkenöivää Us-
kon Tunnustusta pykälässä II. Miten ajankohtainen
se on! Samoin kuin Evankeliumi, joka loistaa sen
läpi on Kirkon pääaarre, samoin on tämä jalo julis-
tus monella tavalla LCA'n kallein jalokivi. Se muo-
dostaa tunnon kaikelle mitä sitä seuraa. Se syvästi
värittää koko kirkon elämää ja *defininoi sen lähetys-
tehtävää, joka sille on annettu.*"

"Tämän Tunnustuksen nerokkuus havaitaan varsinkin siitä, että se on annettu eläville ihmisille. Sisältäen alkuperäisen ja muuttamattoman uskon, joka Uskonpuhdistuksessa saatiin jälleen ja joka neljä ja puoli vuosisataa sitten tuli pursuavasti eloon, se puhuu selvästi meidän aikakautemme ajatustavalla. Sen velvollisuuden mukaan, joka lepää kaikkien aikojen kristillisten sukupolvien päällä, todistaa Jumalan armosta sanoilla, jotka nousevat luonnollisesti huulillemme, on se osoitettu kahdennenkymmenennen vuosisadan ihmisille kahdennenkymmenennen vuosisadan kielellä. Todistus, että ihmisen usko on todellista, tavataan silloin kun se kävelee missä ihminen kävelee, kun se hengittää sitä ilmaa jota ihminen hengittää, ja on kotona siinä kulttuurissa, jossa ihminen elää. Ei kukaan, joka kuulee näitä herättäviä sanoja, voi kompastua ajatukseen, että kristillinen usko on museo-tavaraa. Tämä on yksi harhakuva — esillä kaikkina aikakausina, mutta ei koskaan enemmän kuin meidän aikakautenamme — joka on varmasti karkoitettu; tämä Tunnustus on niin pursuavasti elävä. Samoin on harhakuva, että tunnustuksen tärkein tehtävä olisi toimia kilpenä, jonain suojelusmuurina uskovaisten suojelukseksi nykyaikaista ajattelua vastaan pitääkseen pääasiallisesti epäuskon hyökkäyksiä loidolla. Se ei ole tatrkoitettu, kuten enin osa prototyypeistä meidän entisissä kirkkokunnissamme — sekä kuten useiden 'Opillinen Perustus' muissa perustuslaki-säädöksissä osoittaa — pääasiallisesti sisäisen kurin ylläpitämistä varten Kirkon elämässä."

"Uskon Tunnustuksemme" kunnia on tavattavissa sen rohkeassa ja avoinsanaisessa muodossa, millä se välittää iänikuisia totuuksia tämän päivän korostuksella. Kiitos Jumalalle, että siitä ei löydy vihjaustakaan vanhoillisuudesta eikä itsepuolustuksesta. Se on

Pastori Hiroshi Fujii, japanilais-syntyinen LCA-kirkon pastori, tulee siirtymään Brasiliaan.

positiivinen, luottamuksellinen, elävä ääni ihmisille, jotka ovat vielä elossa. Se on julistusta pelastuksesta." Tähän asti siis LCA-kirkkokuntamme esimiehen vuosikertomuksen osat.

Pittsburghissa koolla olevat edustajat käsittelivät kirkon asioita heinäkuun toisesta päivästä heinäkuun yhdeksänteen päivään. Kirkolliskokous alkoi juhlajumalanpalveluksella ja Herran Pyhän Ehtoollisen vietolla, jossa kirkkokunnan esimies tri F. C. Fry saarnasi. Mielenkiintoista saarnan sisältöön nähden oli sen elävä korostus siitä, että hengellisen elämän päätavoitteena ei ole rakentaa kirkon ulkonaista laitosta, vaan edistyä elämän tiellä ja iankaikkisen elämän toivossa armon omistuksessa kalliissa Vapahtajassamme Jeesuksessa Kristuksessa. Olisimme voineet odottaa kuulevamme korostusta kirkon monista tehtävistä ja velvollisuuksista Jumalan Sanan peitteessä. Tuntui siltä, että saarnasta kaikui suomalaiselle kristillisyydelle tuttu kilvoittelevan uskon sisältöä. Iloitsimme siitä.

Edellisissä Kirkollisen Kalenterin numeroissa olemme puhuneet toivossa siitä, että suomi-synodilaisella aineksella tulisi olemaan tuntuva osa uuden kirkon elämässä. Pitikö tämä toivomus paikkansa nyt kun kerran uusi kirkkokunta oli päässyt matkaan? Me, jotka saimme olla tässä kirkolliskokouksessa mukana (ollen entisen Suomi-Synodin jäseniä ja Suomi-Konferenssin jäseniä) ihmeeksemme saimme todeta, että suomalaista alkuperää olevaa väkeä oli nähtävänä vähän joka puolella. Käytävillä sekä kokoushuoneissa oli aina joitakin meikäläisiä, niin että entiset yhteydet sekä uudet yhteydet tulivat varsin tyydyttävällä tavalla hoidetuksi.

Maallikko-edustajien joukossa olivat seuraavat suo-

56

malaista alkuperää olevat henkilöt mukana kirkollis-
kokouksessa: Oakie Johnson, Californian synodista;
Onni Kangas, Central Pennsylvanian synodista; Eino
Lempia, Minnesotan synodista; Soine Törmä, Wis-

**Onni Kangas, LCA-kirkon edustaja Harrisburgista, Pa.
keskustelee erään toisen edustajan kanssa.**

consin—Ylä-Michiganin synodista; Lauri Seppälä Uu-
den Englannin synodista; Russell Parta (vaimoineen)
Red River Valley synodista. Pappis-edustajia oli:
Robert P. Hetico, Illinoisin synodista; Melvin Hagel-
berg, Michiganin synodista; Alex Koski, Minnesotan
synodista; Tom Kangas, Red River Valley synodista;
Ralph Jalkanen, Rudolph Kemppainen ja Leslie
Niemi (kaikki vaimoineen), Wisconsin—Ylä-Michi-
ganin synodista; Philip Anttila, Bernhard Hillilä,

Taito Kantonen ja Oliver Rajala, Ohion synodista. Raymond W. Wargelin oli mukana American Missions virkakunnan henkilönä; pastorit Eino Vehanen ja Norman Lund olivat mukana maailman lähetysjohtokunnan pyynnöstä. Pastori Douglas Ollila, vanhempi, oli mukana Executive Councilin jäsenenä. Pastori Karlo Keljo olisi ollut New Yorkin synodista edustajana mukana, mutta oli estetty lukutehtäviensä vuoksi. Kokouspäivien aikana saimme tavata muita tuttuja kuten pastorit Rodger Foltz, Daniel Saarinen, Richard Mackey ja Leander Ecola. Neiti Tyyne Hänninen Monessenista, Pa., toimi kokouksen aikana luottamustehtävissä kirkolliskokouksen yhteydessä. New Castlen sekä Monessenin seurakunnista oli myös muitakin tuttuja mukana, edustaen suomalaista syntyperää olevaa väkeä.

Yksityisluontoinen selostus Pittsburghin kirkolliskokouksen asioista olisi ehkä yksitoikkoista ja epätähdellistä Kirkollisen Kalenterin lukijoille. Sentähden olemme tyytyneet antamaan joitain vaikutelmia kokouksesta sanoin sekä kuvien kautta. Kahden vuoden päästä kokoontuu kolmas kirkolliskokous Kansas City'ssä, Kansas.

Uusi käsitys Kristuksesta
eli
kädenojennuksen evankeliumi
(Kirkkoneuvos Eetu Rissanen)

MARK. 1:15 suomenkielisessä käännöksessä olevat sanat: "Tehkää parannus", on sananmukaisesti sanottava: muuttakaa mielenne! Kreikankie-

Tohtori E. Rissanen

len sanakirjasta nähdään, että mielenmuutos on uusi ajatustapa. Kristittyinä tiedämme, että kun Raamattu puhuu mielenmuutoksesta, siinä on kysymys ennen muuta keskittymisestä Kristukseen, uuden ajatustavan omaksumisesta Kristuksesta.

Suomen kirkon toiminta on viime sotien jälkeen huomattavasti muuttunut, ja työn moninaisille muodoille on ominaista, että entistä enemmän pyritään saamaan kosketusta ihmisiin: nuorisotyön avulla nuorisoon, diakoniatyön avulla heikkoihin ja hyljättyihin, perheneuvonnan avulla avioliitossaan vaikeuksiin joutuneisiin, teollisuustyön avulla tehdastyöväestöön ja työnantajiin jne. Paraillaan on Suomen kirkko heräämässä antaakseen entistä tehokkaampaa apua Luterilaisen Maailmanliiton kansainväliseen avustustyöhön.

Tämän johdosta voidaan kysyä, onko kirkossamme syntynyt uusi ajatustapa Kristuksesta. Niin todella on tapahtunut, ja tälle uudelle ajatustavalle on ominaista kädenojennuksen evankeliumi: pyritään ojentamaan ystävän kättä yli kaikkien kuilujen, saamaan kosketusta, rakentamaan yhteyksiä. Tämän kaiken tarkoituksena on kirkon tehtävän, evankeliumin, toteuttaminen ihmisten keskuudessa.

Epäuskon maailma on ennakkoluulojen maailma. Ennakkoluuloja seurakuntaa, seurakunnan työntekijää, niin, jopa Kristusta kohtaan on omiaan luomaan höllä seurakuntayhteys tai tilanne, jossa tätä yhteyttä ei lainkaan ole. Näin syntyy väärä käsitys Kristuksesta, jonka mukaan hän on tullut tuomitsemaan syntisiä.

Kristuksen läheisyydessä esiintyi kahdenlaista asennoitumista syntisiä kohtaan. Toista tahtoisin nimittää farisealaiseksi, toista evankeliseksi asennoitumiseksi.

Farisealainen asennoituminen on yhtä kuin met-
sän puhdistushakkuun leimaus: arvopuut, jotka jää-
vät pystyyn, jätetään leimaamatta, mutta kaadettava
roskapuu leimataan. Silloin kun meitä hallitsee fari-
sealainen asennoituminen, lyömme lähimmäisemme
tietynlaisella leimalla. Jeesuksen aikana tällaisia lei-
mattuja olivat syntiset, pakanat, publikaanit ja sa-
marialaiset. Tämä mieli ei ota huomioon yksilön ja
Jumalan välistä suhdetta, vaan joukko, jonka yhtey-
teen ihminen kuuluu, määrää hänen leimansa. His-
toria osoittaa, mihin kauhistuttaviin tekoihin tällai-
nen asennoituminen on johtanut eri kirkoissa aikojen
kuluessa.

Tämän asennoitumistavan mukaan esim. lähetys-
työn tehtävänä on saattaa toinen ihminen samanlai-
seksi kuin itse on, so. rekisteröidä hänet omaisuudek-
seen. Nimenomaan tässä mielessä tehdystä lähetys-
työstä lausui Vapahtaja: "Voi teitä, kirjanoppineet
ja fariseukset, te ulkokullatut, kun te kierrätte meret
ja mantereet tehdäksenne yhden käännynnäisen; ja
kun joku on siksi tullut, niin teette hänestä helvetin
lapsen, kahta vertaa pahemman kuin itse olette." Va-
pahtaja tuomitsee tässä mielialan, jossa työtä tehdään.

Lasten vanhempina olemme ehkä käsittäneet teh-
tävämme samanlaiseksi: olemme ehkä pyrkineet saat-
tamaan lapsemme samankaltaisiksi kuin itse olemme.
Anopin ja miniän välinen jännitys johtuu varmaan
useimmin samasta syystä: anoppi käsittää tehtäväk-
seen taivuttaa miniän, joka on tuonut taloon uusia
tapoja, itsensä kaltaiseksi. Avioliiton ristiriitojen ai-

heena on edelleen sama fariseaalainen asennoitumi-
nen: tunteiden kuohuvien aaltojen tyventyessä tule-
vat ilmi luonten heikkoudet, erilaiset elämäntavat,
niinkin vähäiset asiat kuin syöntitottumukset jne.
Niiden poisjuurrittaminen toisesta aviopuolisosta joh-
taa usein vakaviin erimielisyyksiin.

Kun uskonnolliseen tilaisuuteen tuli Jeesuksen ai-
kana syntinen ja publikaani, joka oli ehkä eri tavoin
pukeutunut kuin tilaisuudessa olleet uskovaiset, hä-
neen kohdistui katse, josta syntinen voi lukea ajatuk-
sen: paha on tullut pyhien pariin.

Näin suoritetaan leimaustyötä meidänkin aikanam-
me, ja tällaisessa ilmapiirissä kasvavat ennakkoluulot.

Aikuiseksi saakka kasvoin itse jokseenkin täydelli-
sesti erilläni seurakuntayhteydestä. Kun en ollut
myöskään oppikoulussa, en voinut olla kosketuksissa
Jumalan sanan kanssa edes siinä muodossa kuin oppi-
laat ovat aamuhartauksissa ja uskontotunneilla. Muis-
tan, kuinka ennakkoluuloinen olin kirkon työtä koh-
taan ja millainen käsitys minulla oli Kristuksesta.
Mutta sitten eräs pappi tuli luokseni kuin vanha
tuttu ja — ojensi minulle ystävän käden. Se oli kä-
denojennuksen evankeliumia, joka merkitsi minulle
paljon.

Jeesus Kristus toi maailmaan kädenojennuksen
evankeliumin, jonka me täällä Suomessa olemme
usein unhottaneet. Hän lausuu Luuk. 19:10: "Ihmi-
sen Poika on tullut etsimään ja pelastamaan sitä,
mikä kadonnut on." Siinä on ilmaistu hänen ohjel-
mansa ja hänen seurakuntansa ohjelma. Se merkit-

62

see, että roskapuut kerätään talteen; nekin voivat tuottaa hedelmää. Kun Jeesus iloitsi hyljätyistä, se oli uutta ajatustapaa Jumalan tuomasta pelastuksesta.

Luuk. 15:1 sisältää mielenkiintoiset sanat: "Kaikki publikaanit ja syntiset tulivat hänen tykönsä kuulemaan häntä." Jeesuksen läheisyydessä he olivat saaneet uuden ajatustavan Jumalan suhteesta syntisiin ja Jumalan sanasta: hän tahtoo ojentaa syntisille ystävän käden. Varmaan tämän evankeliumin käsittäneenä eräs suomalainen työmies, joka elämänsä heikkouksiin kaipasi evankeliumin lohdutusta, lausui kastetoimituksesta lähtevälle papille häntä hyvästellessään: "Kun teillä on hyviä uutisia, pysähtykää aina tässä!" Kädenojennuksen evankeliumi on hyviä uutisia.

Helsingissä pidetyn Luterilaisen Maailmanliiton konferenssin tunnuksena oli: "Kristus tänään". Kun Kirstus kohtaa ihmisen, ihminen on hänelle "ihminen tänään". Se merkitsee, ettei ihmisen menneisyys ole rasittamassa Kristuksen asennoitumista häneen.

Fariseus voi ajatella näin: sitten kun tuo syntinen, tuo publikaani, tuo pakana tai tuo samarialainen on tullut semmoiseksi kuin minä, fariseus, olen, minä ojennan hänelle ystävän käden. Jeesus voi ajatella: vaikkei tuo syntinen, tuo publikaani tai tuo samarialainen koskaan muuttaisi elämäänsä, minä ojennan hänelle ystävän käden. Äärimmäinen esimerkki tästä on, että hän ojensi pyhän ehtoollisen myös Juudakselle. Ihmisen menneisyys ei rasita Vapahtajan suhtautumista syntiseen. Tämä meidän on hyvä tietää, kun syntisinä turvaudumme häneen, hänen sanaansa, hänen sakramenttiinsa, hänen armoonsa. Hän on tullut antamaan anteeksi meidän syntimme.

Kädenojennuksen evankeliumi on mahdollista vain siten, että annetaan anteeksi. Useimmiten puhumme anteeksipyytämisestä ja anteeksisaamisesta, ehkä harvemmin anteeksiantamisesta. Mutta kun Jeesus on Matt. 6. luvussa opettanut Isämeidän rukouksen, hän heti sen jälkeen palaa tämän rukouksen yhteen kohtaan: anteeksiantamusta koskevaan: "Sillä jos te annatte anteeksi ihmisille heidän rikkomuksensa, niin teidän taivaallinen Isänne myös antaa teille anteeksi; mutta jos te ette anna ihmisille anteeksi, niin ei myöskään teidän Isänne anna aneteksi teidän rikkomuksianne."

Eräs mies, joka kirkossa kuuli nämä sanat ja joka seuraavana päivänä kuoli, riemuitsi sydämessään niiden sisältämän evankeliumin tähden: hän oli jo heikko — ei voinut edes ehtoollispöytään astua — mutta hänen ei tarvinnut silloin muuta tehdäkään kuin antaa anteeksi.

Kädenojennuksen evankeliumi on mahdollista anteeksiantavalle mielelle: lähimmäisen menneisyys ei ole asennoitumisen rasituksena, on olemassa vain "ihminen tänään".

Tärkeintä meille ei ole opinkappaleiden, vaan Jeesuksen Kristuksen tunteminen, se, että meillä on hänestä oikea käsitys. Kun tunnetun veljesseurakunnan perustaja N. L. von Zinzendorf aloitti 1738 puhe-

64

sarjansa nykyisessä maailmanpolitiikan polttopisteessä Berliinissä, hän kysyi, mikä on ensisijaista kristillisyydessä, ja vastasi: ensisijaista siinä ei ole, että voittaisimme syntimme, eikä sekään, että tulisimme hurskaiksi, vaan ensisijaista siinä on, että oppisimme tuntemaan Jeesuksen omaksi Vapahtajaksemme, ja tuo muu seuraa sitten perässä. Kun tunnemme hänet oikein, tunnemme hänet syntisille kättä ojentavaksi, auttavaa, pelastavaa, anteeksiantavaa kättä ojentavaksi Vapahtajaksi, ja silloin meillä on oikea käsitys Kristuksesta ja silloin myös tunnemme evankeliumin kädenojennuksen evankeliumiksi.

Pastori Ralph Jalkanen (vas.), **Suomi-Opiston johtaja, keskustelee pastori G. William Ganzlerin kanssa. Molemmat tulivat valituiksi luottotehtäviin Pittsburghin kirkolliskokouksessa.**

Ken on tuo lapsi?
What child is this?

Ken on tuo lapsi ihmeinen,
jok' äidin syliin uinahtaa?
Sen paimenille kedolla
näin enkelit tiedoksi antaa:
— Hän, Hän on Kuningas,
Hän maan ja taivaan Valtias.
Käy Häntä nyt palvomaan;
Hän pyhä on Maarian Poika.

Miks seimessä Hän makaapi,
mist' aasit ja juhdat syövät?
Oi, langennut sä ihminen,
sun syntisi Häntä nyt lyövät.
— Hän, Hän on Kuningas,
Hän maan ja taivaan Valtias.
Käy Häntä nyt palvomaan;
Hän pyhä on Maarian Poika.

Siis kullat, mirhat ja suitsukkeet
nyt Hälle kaikki jo tuokaa.
Niin ylhäiset kuin alhaiset
nyt kunnia Hänelle suokaa!
— Hän, Hän on Kuningas,
Hän maan ja taivaan Valtias.
Käy Häntä nyt palvomaan;
Hän pyhä on Maarian Poika.

Wm. Chatterton Dix
Finnish transl. Samuel V. Autere

Hiljattain papeiksi vihityitä

John K. Bispala, mr. ja mrs. John T. Bispalan poika (isä on kuollut) Hibbingistä, Minn., on suorittanut seminaarilukunsa Lutheran School of Theology at Chicago keväällä 1964 (B.D. oppiarvo). John on kuulunut Trinity Lutheran seurakuntaan Hibbingissä ja on gradueerannut Hibbingin korkeakoulusta vuonna 1956. Hän on suorittanut luvut Suomi Collegessa ja on gradueerannut Augsburg Collegesta, Minneapolis, Minn., vuonna 1960 (A.B. oppiarvo). Hän on palvellut vuoden apulaisena Betania Lutheran seurakunnassa Ashtabulassa, Ohiossa vuonna 1962-63. Hän on saanut Suomi-Konferenssin—Suomen Kirkon stipendin vuodeksi 1964-65.

Leander John Ecola, mr. ja mrs. Arthur Ecolan poika, syntyi Detroitissa, Mich., kesäk. 8 p. 1937. Hänen vanhempansa asuvat Detroitissa ja kotiseurakunnat ovat olleet Bethlehem luterilainen seurakunta ja Northwest Emmanuel luterilainen seurakunta, Southfield, Detroit. Hän on gradueerannut T. M. Cooley korkeakoulusta Detroitissa, Wayne State yliopistosta Detroitissa (A.B. oppiarvo) sekä Waterloon Luterilaisesta Seminaarista (Waterloo, Kanada; B.D. oppiarvolla) vuonna 1963. Hänet vihittiin papiksi Waterloossa kesäkuussa 1963, Eastern Canadan synodi toimittaen vihkimisen. Hän palvelee nykyään Siion Lut. Seurakuntaa Penn Hills (Pittsburgh, Pa.) apulaispappina ja Kristillisen Kasvatuksen johtajana. Hän on avioliitossa Kay Ann Tetleyn kanssa; perheessä on kolme lasta.

Edward Groop, mr. ja mrs. E. R. Groopin poika, syntyi Aberdeenissa, So. Dak. 10/24/'36. Kotiseurakuntansa on Holy Trinity seurakunta Berkeleyssa, Calif. Hän on gradueerannut Berkeleyn korkeakoulusta v. 1954 ja San Francisco State Collegesta vuonna 1960 A.B. arvolla. Hän oli yhden vuoden oppilaana Suomi Collegessa. Seminaariluvut (B.D. arvolla) on hän suorittanut Pacific Lutheran Seminaarissa Berkeleyssa, Calif. v. 1964 ja tuli vihityksi Pacific S. W. Synodissa 7/21/'64. Hän on saanut kutsun Pelkie, Nisula—Elon seurakuntapiiristä. Hän on avioliitossa Margaret Mae Leinosen kanssa. Heillä on kaksi lasta.

Pellervo Heinilä syntyi Isojoella, Suomessa, huhtikuun 26 p. 1935. Isänsä on kanttori-urkuri, ja asuu Nurmijärvellä. Heinilä tuli ylioppilaaksi Nurmijärven Yhteiskoulusta 1959 ja samana vuonna aloitti teologianopinnot Helsingin Yliopistossa. Kesäkuussa v. 1961 tuli Kanadaan perheineen; tammikuussa 1964 päätti opinnot Hamma Divinity Seminaarissa ja sai kutsun vakinaiseksi pastoriksi P. Matteuksen ev.-lut. seurakuntaan Sudburyssa, Ontariossa. Palvellut Timminsin, Toronton ja Sault Ste. Marien suom. seurakuntia välikuukausina.

Suomessa oli mukana Kansan Raamattuseuran työssä vuodesta 1954 kesäisin ja kaksi vuotta kokonaisuudessaan. Vaimonsa Raija-rouva on sairaanhoitajatar. Perheessä on kaksi lasta, Timo, 4-vuotias ja Ilkka, 3-vuotias.

Delbert G. Keltto syntyi Fairportissa, Ohio, helmik. 8 p. 1939. Kotiseurakuntansa on Suomi Siion seurakunta Fairportissa; hänen vanhempansa asuvat tällä paikkakunnalla. Hän tuli ylioppilaaksi Suomi Collegesta vuonna 1959; saavutti B.A. oppiarvon Concordia Collegesta, Moorhead, Minn., vuonna 1961 ja päätti seminaariluvut Hamma Divinity Seminaarissa, Wittenberg Yliopistossa toukokuulla 1964 saaden B.D. oppiarvon. Hänet vihki papiksi Ohion synodi toukok. 26 p. 1964 ja sai kutsun saapua papiksi Salem luterilaiselta seurakunnalta (LCA), Salem, S. Dakota. Hän on avioliitossa entisen Shirley Saarelan kanssa (Suomi Collegen graduaatti vuonna 1959); perheessä on yksi poika, Larry Jonathan, 2-vuotias.

John J. Linna, mr. ja mrs. Arvid Linnan poika
Ishpemingistä, Mich., syntyi Ishpemingissä ja on kuu-
lunut Bethel luterilaiseen seurakuntaan, jossa kirkos-
sa hänet vihittiin papiksi kesäkuulla 1964, Wisconsin-
Upper Michiganin synodiin. Hän on gradueerannut
Ishpemingin korkeakoulusta vuonna 1957; lueskellut
Michigan Technological Yliopistossa, Houghton,
Mich. (1957-59) ; gradueerannut Northern Michigan
Yliopistosta, Marquette, Mich., vuonna 1961 (A.B.
oppiarvo) sekä Chicago Lutheran School of Theolo-
gy, Maywood, Ill., toukokuulla 1964 (B.D. oppiarvo).
Seminaarilukujensa aikana on hän palvellut apulai-
sena St. Mark's luterilaisessa seurakunnassa Wauke-
ganissa, Ill. Hän on saanut kutsun palvella Trout
Creekin luterilaista seurakuntapiiriä. Hän on avio-
liitossa Kathryn Mallmanin kanssa Escanabasta, Mich.

Pastori Daniel Saarinen,
pastori ja mrs. John F. Saarisen nuorin poika Ashtabulasta, Ohiosta, toimii nykyään Pyhän Luukkaan Ev. Luth. Kirkon seurakunnan pastorina Monessenissa, Pennsylvaniassa. Pastori Saarinen päätti pappislukunsa Northwestern Lutheran Theological Seminaarissa Minneapolissa, Minn. v. 1964. Korkeakoulunsa hän suoritti Augustana Academissa, Cantonissa, South Dakotassa. Hän jatkoi lukujaan Luther Collegessa, Decorah, Iowassa, Suomi-Opistolla Hancockissa, Mich., ja saavutti B.A. arvon Concordia Collegessa Moorheadissa, Minn. Hänet vihittiin pyhään virkaansa Western Pennsylvania-West Virginia Synodin kokouksessa, Greenvillessä, Pa. v. 1964. Pastori Saarinen on naimisissa entisen Jane Hillin kanssa Wakefieldissä, Mich.

Gary L. Terrio, mr. ja mrs. LeRoy Terrion poika, syntyi Mountain Ironissa, Minn. Kotiseurakuntansa on Messiah Lutheran seurakunta, Mountain Iron. Hän on gradueerannut Mountain Ironin korkeakoulusta vuonna 1957 sekä Suomi Collegesta vuonna 1959. Hän gradueerasi Augsburg Collegesta, Minneapolis, Minn., vuonna 1961 (A.B. oppiarvo) ja Northwestern Seminaarista, Minneapolis, vuonna 1964 (B.D. oppiarvo). Hänet vihittiin papiksi kesäkuussa vuonna 1964 St. Peterissa, Minn., Minnesota synodin (LCA'n) vuosikokouksessa. Hän on avioliitossa Jean Tammisen kanssa (pastori ja mrs. Carl Tammisen tytär). Hän palvelee Trinity Lutheran seurakuntaa Brunossa, Minn. ja Oak Lake Lutheran seurakuntaa, Kerrick, Minn.

Kari Valanne, syntynyt Nurmijärvellä 8/25/'37.
Tullut ylioppilaaksi Nurmijärven yhteiskoulusta v.
1958. Lueskellut Helsingin Yliopiston Teologisessa
tiedekunnassa; palvellut Suomen armeijassa v. 1959
Hämeenlinnan Panssa Prikaatissa. Siirtyi Kanadaan
v. 1962 ja jatkoi lukujaan Hamma Divinity seminaa-
rissa kunnes suoritti B.D. arvon keväällä 1964. Vihit-
tiin papiksi toukokuun 27 p. 1964 Kitchenerissa, Ont.
saatuaan kutsun St. Mary's seurakunnalta Sault Ste.
Mariesta, Ont. Hän on solminut avioliiton Irma Vir-
tasen kanssa kesäkuun 20 p. 1962.

Tuhlaajapoika

(Pellervo Heinilä)

OLETAN, että lukijat tuntevat tämän vertauksen, joka on talletettuna Luuk. 15: 11—32. Oletan myöskin, että useimmat lukijoista kuuluvat niin sanottujen kunnonkansalaisten ryhmään, vanhemman veljen tapaisiin, ulkonaisesti moitteetonta elämää viettäviin. Hänhän oli kunnon poika, kuuliainen ja vanhempiaan kunnioittava. Tässä kenties syy siihen, miksi juuri nuorempi veli vetää kaiken huomiomme puoleensa. Me "hyvät" ihmisethän olemme juuri niitä, jotka pystymme arvostelemaan asioita, ennenkaikkea niiden moraalista puolta. Me tiedämme, mikä sopii, mikä ei. Ja varsinkin se, mikä ei sovi, mikä on moraalitonta, ala-arvoista elämässä, kiinnittää meidän arvostelevan huomiomme. Niin tämänkin perheen kohdalla.

Nuorempi veli on se, jonka elämän mielellämme otamme reposteltavaksemme. Toisaalta ymmärrämme häntä, sillä olimmehan itsekin kerran nuoria ja uhmamieli ja kapinahenki täytti mielemme. Olimme samoissa kiusoissa kuin hänkin. Ero, mielihyvää tuottava ero on vain siinä, että me emme sortuneet kiusoihin. Meillä oli todellisuustajua ja tahdonlujuutta. Olemmehan sitä parempaa ainesta, vanhemman veljen sorttia.

Näin me huomaamattamme pesemme kätemme

koko likaisesta tarinasta ja toteamme vain säälin sekaisin tuntein, että onhan näitä heikkoja, ns. huonoa ainesta meidänkin päivinämme. Jumalan kiitos, ettei tarvitse kuulua näihin surkuteltaviin, joista tutkimuksen mukaan vain muutama prosentti kykenee nousemaan.

Mutta hyttysiä siivilöimään harjaantunut silmä löytää helposti vian vanhemmastakin veljestä, kenties moniakin. Hän oli kyllä kunnon poika ja yritteliäs, koko kodin parasta ajatteleva, mutta hänen asenteensa nuorempaan veljeensä oli liian itsekäs. Juuri silloin kun oma sydämemme yhtyy koko kodin iloon nuoren miehen paluun johdosta, tunnemme vanhemman veljen kateuden pahasti särkevän aidon tunnelman. Tuomitsemme hänen tekonsa rumaksi ja olemme varmoja, että itse olisimme käyttäytyneet toisin. Ymmärrämme häntä, koska meilläkin on omat luonteen heikkoutemme. Mutta sittenkin, ei saisi antaa henkilökohtaisten tunteiden vaikuttaa yhteisissä pyrkimyksissä.

Jälleen olemme pesseet kätemme ja kieltäytyneet samaistamasta itseämme matalaan ja tuomittavaan. Tosiasiahan on, että seurakunnissamme ilmenee hyvin usein juuri tämä sama itsekäs, kateuteen ja moneen likaiseen tekoon johtava mieli. Mutta me emme suinkaan anna omalla kohdallamme valtaa sellaiselle. Olemme aina ajan tasalla ja pystymme hallitsemaan tunteemme ja käytöksemme. Ainakin yritämme niin tehdä ja se jo eroittaakin meidät heistä. Näin ajattelemme.

Tulemme tarinan isään, joka varmasti voittaa jokaisen hyväksymisen puolellensa. Hän on ns. hyvä isä, juuri sellainen kuin mekin tahtoisimme olla. Emme löydä hänessä mitään halpamaista tai tuomittavaa. Mielellämme samaistamme itsemme hänen kanssaan. Se onkin oikeastaan helppoa, sillä mekin rakastamme lapsiamme, annamme heille kaiken anteeksi, teemme kaikkemme heidän hyväksensä.

Ja kuitenkin — kuinka valheellista tällainen ajattelu onkaan? Olemme kaukana siitä syntisiä rakastavasta Isästä, jota Jeesus vertauksellaan tahtoi kirkastaa. Jos rakkautemme riittääkin omaan lapseemme, ei se riitä enää naapurin pojan tai täysin tuntemattoman kadunmiehen lankeemusten ymmärtämiseen, puhumattakaan siitä, että tahtoisimme auttaa heitä ja rakastaa heidät Kristukselle. Myötätuntoa ja sääliä meiltä helposti liikenee, mutta siihen se usein jääkin. Todellisia rakkauden tekoja ei meiltä hevin irti saa.

Käsienpesu taisi ollakin liian aikaista. Eikö sittenkin ole niin että meitä nykyajan seurakuntalaisia vallitsee aivan liian selvästi juuri vanhemman veljen mieli ja itsekkyys. Emme edes hätäile kauas eksyneistä . Olemme heidät jo tyystin unohtaneet. Etsijän mieli puuttuu, niin myös löytäjän ilo. Omahyväisen kristillisyyden vaarana on aina kamelin nieleminen. Tämä on juuri meidän vaaramme.

Nuorempi veli koki jotakin merkillistä. Hän meni itsensä ja oli rehellinen. Hän ei pessyt käsiään, ei kierrellyt. Tässä syy, miksi hän nousi ja lähti etsimään anteeksiantoa, eikä turhaan. Anteeksiantamus koetaan vain siellä, missä nähdään sen tarpeellisuuskin. Uskon, että meidän sekä yksityisinä että seurakuntina olisi tärkeätä päästä tälle samalle paikalle, kokemaan nöyrtyminen ja armo. Meidän syntimme ei kenties ole niin siinä, mitä olemme tehneet, vaan siinä, mitä olemme jättäneet tekemättä. Auttakoon Pyhä Henki meitä näkemään syntimme. Silloin voimme nähdä myöskin vanhurskautemme. Joka paljon saa anteeksi, se paljon myös rakastaa.

Uskon hedelmiä

(Daniel Saarinen)

"Oppikoot meikäläisetkin, tarpeen vaatiessa, harjoittamaan hyviä tekoja, etteivät jäisi hedelmättömiksi." Tiit. 3: 14.

Kun Jeesus tarttuu kiinni henkilöön Hän saattaa hänet kuuntelemaan Jumalan sanaa. Hän kääntää hänet katoavaisuuden tieltä ja asettaa hänet uuden elämän tielle. Jumala selvästi ilmaisee suuren ja ihmeellisen voimansa ja Hänen lapsensa sen näkevät. Tämä, kuitenkaan, ei ole kertomuksen loppu. Siihen sisältyy paljon enempi. Jeesus ei koskaan vain kutsu ihmistä, eikä Hän vapahda häntä synnin ja kuoleman vallasta, eikä Hän saata hänessä parannusta, ja eikä Hän aseta häntä uuden elämän tielle ilman syvempää tarkoitusta. Jeesus kutsuu omiansa kuolemaan omalle itsekkyydelle ja elämään ennen kaikkea

Jumalalle, joka hänelle on antanut uuden elämän. Tämä merkitsee sitä, että Jumala antaa kaikille lunastetuille tehtäviä. Ei ole olemassa vapautta ilman vastuunalaisuutta. Nämä tehtävät ovat Herran tehtäviä, joita kirkon avulla ja kautta suoritamme koko maailmassa, nyt ja tässä. Jumala on todella meidät lunastanut. Meidän tulisi olla niin kiitollisia Hänelle, että oppisimme harjoittamaan "hyviä tekoja" auttaaksemme tarvitsevia niin ettemme olisi hedelmättömiä.

Tänäkin päivänä on sellaisia asioita kirkon yhteydessä, jotka vaativat "hyvien tekojen" harjoittamista. Yksi senkaltainen asia, jossa nykypäivänä voimme harjoittaa "hyviä tekoja", on Jumalan armon osoittaminen toisille, etupäässä niinkutsutuille "toiskielisille" LCA'ssa. Entisillä Suomi Synodin jäsenillä on, ja heistä uhkuu, sitä innostusta ja lämpöä joka johtuu läheisestä yhteydestä Jumalaan ja lähimmäisiin. Tätä suurta Herran armolahjaa tulisi meidän tarjota lähimmäisillemme LCA'ssa, sillä sitä kipeästi tarvitaan. On tarpeellista että me, jotka olemme yhtä Kristuksessa LCA'ssa, opimme tarjoamaan ja jakamaan näitä lahjoja ei vain omaksi hyödyksemme vaan kaikkien hyödyksi. Olkaamme siis hedelmällisiä tässä suhteessa ja kasvakaamme moninkertaisesti; sillä, kun Jumala on meitä niin runsaasti siunanut, tulee meidän olla lähimmäisillemme myöskin siunaukseksi.

Stipendiaattina Suomessa

(Donald R. Lehti)

SAADESSANI stipendin Suomi Synodilta en tullut
ajatelleeksi, että jäisin Suomeen kahdeksi vuo-
deksi. Mutta se toteutui ja aika kului niin nopeasti,
että oli vaikea uskoa sitä. Kahden vuoden aikana
(tosiaan 22 kuukautta) näin, kuulin ja opin paljon,
niin että voin sanoa tämän ajan olleen elämäni kor-
keimman kokemuksen.

Vaikka olin teologisessa tiedekunnassa, päätarkoi-
tus oli oppia suomenkieltä. Kuten tiedätte, kun opis-
kelee kieltä, tarvitaan sekä hyvä opettaja että hyvä
oppikirja. Ensimmäisenä vuonna Helsingin yliopis-
tossa meillä (ulkomaalaisten kursseilla, joka perus-
tettiin serkkuni ansiosta n. 10 vuotta sitten) oli hyvä
opettaja, mutta kirjat olivat huonoja. Toisena vuon-
na onnistuimme paremmin, kun meillä oli sekä hyvä
opettaja että kirja (opettajan oma tekemä kirja).
Monet opiskelijat useista maista, myös kommunisti-
sesta Kiinasta, väittivät, että opettaja oli paras mah-
dollinen. Mutta valitettavasti minun vointini oli
huono toisena vuonna ja olin jatkuvasti lääkärin hoi-
dossa. Sen takia en onnistunut niin hyvin kuin
halusin.

Opiskelun aikana olin seuraavien professorien ja
opettajien luennoilla ja seminaareissa: Pinomaa, Ni-
kolainen, Kansanaho, Tiililä, Kuula, Teinonen, Par-
vio ja Toivio. Lisäksi olin mukana pastori Knuuti-
lan johtamassa ryhmässä, joka kävi Pieksämäellä ja

Pastori D. Lehti, rouva Laurmaa ja piispa Auala

82

Järvenpäässä tutustumassa diakoniatyöhön.

Asuin teologian ylioppilaiden kodissa, jota kutsutaan "Konviktiksi" ("asua yhdessä") koska sitä suositeltiin puolueettomana. Toiset ylioppilaskodit ovat evankelisten, laestadiolaisten ja heränneitten kodit. Talossa ei ollut monta mukavuutta (ollen verraten vanha helsinkiläiseksi taloksi). Se oli valmistunut v. 1886. Huoneet olivat suuria, mutta niissä oli vielä uunilämmitys, joka tosin pian korvataan kaukolämmityksellä. Lämmintä vettä oli saatavana vain rajoitetusti, mutta onneksi kodissa oli oma sauna. Kodissa vallitsi ystävällinen ja veljellinen ilmapiiri. Kaikki olivat valmiita auttamaan minua parhaansa mukaan.

Eräs ensimmäisiä kokemuksia oli Suomen itsenäisyyspäivän vietto. Yhdessä pohjalaisten ylioppilaiden kanssa, joihin minua yhdistää Iistä kotoisin ollut isoisäni, marssin sankarihaudalle, jossa oli vaikuttava juhlatilaisuus.

Sain tutustua Presidentti Kekkoseen hänen käydessään San Franciscossa v. 1961. Sain käydä häntä tapaamassa kodissaan Tamminiemessä. Hän oli edelleen hyvin kiinnostunut Amerikan suomalaisiin, joille hän lähetti lämpimät terveisensä.

Useimmat niistä pappismiehistä, jotka olivat vierailleet Berkeleyssä minun aikana, osoittivat suurta vieraanvaraisuutta varsinkin asessori Ensio Kuula, piispa E. G. Gulin, professori Lennart Pinomaa ja pastori Veikko Vanha-Perttula.

Helsingin piispa Martti Simojoki, joka nyt on arkkipiispa, kutsui minut mukaan piispantarkastukseen

Munkkiniemen ja Munkkivuoren seurakuntiin. Myöskin hän kutsui minut osallistumaan papinvihkimykseen Helsingin tuomiokirkossa. Myöhemmin olin mukana papinvihkimyksessä Oulussa, jonka toimitti piispa Tapaninen. Molemmat piispat vihkivät omat poikansa. Nämä tapaukset olivat ehkä neljäs ja viides kerta Suomessa, jolloin piispa vihki oman poikansa. Olin myös vieraana heidän kodeissaan samoin kuin arkkipiispa Salomiehenkin kodissa (hän osallistui tilaisuuteen, kun minut vihittiin papiksi vuonna 1950 Michiganissa). Sen johdosta, että minut kutsuttiin moniin seurakuntiin ja koteihin, minulla oli tilaisuus nähdä Suomen kirkon elämää paljon enemmän kuin tavalliset turistit näkevät. Lisäksi kävin entisten Suomi-Opiston ja Seminaarin opettajien Kosti Arhon ja Uuras Saarnivaaran kodeissa.

Koska stipendin tarkoitus oli myöskin opettaa jotakin Suomen kirkon elämästä, olin läsnä Helsingin hiippakuntakokouksessa ja kirkolliskokouksessa Turussa, jonka aikana poismennyttä presidentti Kennedyä muistettiin sanoin ja rukouksin. Kävin myöskin Herättäjäjuhlilla Kouvolassa ja olin ihmeissäni nähdessäni niin suuren joukon, n. 25,000 ihmistä, kentällä, vaikka sää oli tavattoman kuuma. Nähdessäni kuurojen ryhmän siellä, minuun teki syvän vaikutuksen kun huomasin, millä tavalla he seurasivat tulkin käden liikkeitä.

Niinkuin minulla oli tapana Amerikassa, yritin käydä kirkossa joka pyhä. Ehkä kaikkiaan kuusi kertaa en päässyt kirkkoon Suomessa, koska silloin olimme liian kaukana lähimmästä kirkosta eikä ollut kyytiä saatavana. Mutta sen sijaan kuuntelimme jumalanpalvelusta radiossa. Oltuani Suomessa niin kauan voin puhua kokemuksestani kirkon elämästä täällä. Liian usein USA:n vieraat Suomessa kävivät kirkossa vain parina pyhänä ja he yleistävät näkemänsä liian rohkeasti: ei kukaan käy kirkossa! Kaikki käyvät kirkossa! Olen ollut kirkossa monessa paikassa Suomessa, isoissa kirkoissa ja pienissä, kaupungeissa ja maalla, vanhoissa ja uusissa. Voin sanoa, että on paljon enemmän kirkonkäyntiä Suomessa kuin itse ja monet muut ovat ajatelleet (vaikka täytyy myöntää, että joskus kirkkoväkeä oli vähän). Melkein kaikki Helsingin kirkot ovat melkein täynnä joka sunnuntai paitsi kesällä. Kirkoissa kävisi enemmän väkeä, jolleivät kirkkomatkat maalla olisi niin pitkiä. Monella ei ole autoa. Monet ajavat kirkkoon polkupyörillä. Tahtoa kuulla Jumalan sanaa ei voi mitata yksin kirkonkäynnillä. Monissa kodeissa seuroja pidetään, jotka tavallisesti ovat tupaten täynnä. Monissa seurakunnissa pidetään yhdet tai useammat seurat jokaisena viikonpäivänä. Seurakunnat ovat suuria ja maa on harvaan asuttu.

Radio- ja televisio-kirkko on tärkeä täällä myöskin. Suuri osa niistä, jotka eivät pääse kirkkoon, kuuntelee niitä. Linja-autoissa matkustajat kuuntelevat, eikä ajaja sulje radiota jumalanpalveluksen tai hartaushetken ajaksi. Radiossa on aamuvartio, aamuhartaus ja iltahartaus joka arkipäivä.

Oli unohtumaton elämys olla vastaanottamassa

Suomi-Opiston kuoroa Helsingin lentokentällä. Läh-
temättömän vaikutuksen jättivät myös kuoron monet
esiintymiset monissa kirkoissa.

Oli onni minulle, että Luterilaisen Maailmanliiton
suurkokous pidettiin Helsingissä. Minulla oli tilai-
suus auttaa kääntämällä ja korjaamalla kieltä ko-
kouksen asiakirjoissa, puheissa ja esitelmissä. Ko-
kouksen aikana tehtäväni oli ohjata airueiden työtä
yliopiston juhlasalissa, missä täysistunnot pidettiin.
Unohtumaton kokemus!

Lisäksi oli minulle onni olla läsnä juhlallisessa ti-
laisuudessa, jossa tri Raymond Wargelin ja Franklin
Clark Fry saivat kunniatohtorin arvon Helsingin yli-
opistolta, ja myös kun tri Bernhard Hillilä luovutti
piispa Simojoelle Wittenbergin yliopiston myöntä-
män kunniatohtorin arvon.

Mutta suurin ilo oli kun seisoin isäni serkun (lähe-
tyssaarnaaja Erkki Lehto Laurmaa) haudalla Yli-
Iissä, missä neekeri-piispa Auala oli läsnä kunnioit-
taakseen pastori Laurmaan muistoa, joka oli ollut
hänen opettajansa Ambomaalla. Toisella kertaa löy-
sin suureksi ilokseni isoisäni kotitalon Yli-Iissä. Vaik-
ka isovanhemmilla oli iso perhe, minä olin ensimmäi-
nen Amerikasta Suomessa käynyt jälkeläinen.

Kuten usein tapahtuu vieraille muissa maissa mat-
kustin paljon enemmän kuin suomalaiset Suomessa
yleensä tekevät. Sen lisäksi, että kiersin Suomen joka
kolkan aina Utsjokea myöten, kävin viipurilaisen
osakunnan kanssa Viipurissa ja Pietarissa (Leningrad).

Kun minulle tarjoutui tilaisuus osallistua teologisen tiedekunnan järjestämään huokeahintaiseen Palestiinan matkaan, kävin Pyhässä Maassa kesällä 1964. Kolmen viikon matka käsitti Israelin, Jordanin, Syyrian ja Egyptin. Me emme ainoastaan käyneet näissä historiallisissa paikoissa, vaan kuulimme myös luentoja ja esityksiä näistä paikoista. En koskaan unohda tätä matkaa Vapahtajan kotimaahan.

Olen kiitollinen Suomi Synodille, Suomi Konferenssille, Suomen kirkolle ja Jumalalle, että sain tämän tilaisuuden olla Suomessa. Toivon tämän ajan auttavan minua palvelemaan paremmin Amerikan suomalaisia.

Helsingin yliopiston Porthania rakennus

"Abba! Isä!"

(Aino Lilja Halkola)

*"Koska te olette lapsia, on Jumala lähettänyt mei-
dän sydämeemme Poikansa Hengen, joka huutaa:
"Abba! Isä!"* Gal. 4: 6.

Abba! Isä!
Tähden Kristuksen
uskallan mä luokses taaskin tulla.
Olen vaivainen ja syntinen,
epäuskoinen ja nälkäinen—.
Armoa on paljon, paljon Sulla!

Abba! Isä!
Mua pelottaa,
kun mä katson valtasuuruuttasi.
Olet yläpuolla kaikkien,
Suuri, Pyhä, Iankaikkinen—!
Mutta "RAKAS ISÄ" Pojassasi!

Abba! Isä!
Loit ja lunastit,
kastehessa otit omaksesi.
Minut Kristuksessa valitsit,
kutsuit luoksesi ja rakastit—.
Tule sydämeeni armoinesi!

Abba! Isä!
Siunaa minua,
kun mä laskeun etees polvilleni—.
Anna minun kaikki uhrata
kiitokseksi siitä uhrista,
jonka Poikas antoi sielulleni!

Kirkkomme
Lutheran Church In America
—sen juuret ja nykytyömaat tehtävineen

(Tri Alvar Rautalahti)

"Taivasten käypi taivaisiin
Kunnias, Kuninkaamme,
Kuitenkin halpaan temppeliin
Luoksemme sun me saamme.
Läsnä sä seurakunnassas
Olet, oi Herra armias,
Niin olet luvannut meille."
(N.F.S., Grundtvig—USVK 214:2)

Tri Alvar Rautalahti

KUVAUKSEMME näin laajasta aineesta täytyy rajoittua hyvin lyhyeen — vain muutamiksi välähdyksiksi kirkkomme juurista, synnystä, kehityksestä ja sen nykytyömaista tehtävineen.

Mistä sitten löydämme kirkkomme — Lutheran Church In America (LCA) — varhaisjuuret. Ne olisi löydettävä ja kirkkomme varhaishistoriaan olisi tutustuttava, koskapa niin monet Amerikassa asuvat Suomen heimon lapset aivan kymmentuhansissa kuuluvat jäseninä LCA kirkkoon? Niin, mistäpä muualta kuin Pyhästä Maasta, jossa Jeesuksen Kristuksen, kristillisen kirkon perustajan, ja hänen kalastaja-apostoliensa jalanjäljet ovat. Siellähän kristillinen kirkko perustettiin ja siellähän kerran kaikui kirkon Herran Kristuksen majesteetillinen käsky kaikkien aikojen omilleen: *"Menkää kaikkeen maailmaan ja saarnatkaa evankeliumia kaikille luoduille"* (Mark. 16: 15).

Kalastaja-apostolit tarkkasivat, mitä Herransa ja Mestarinsa heille käski sekä lähtivät innolla viemään Kristus-kuninkaansa evankeliumia laajaan, tuntemattomaan maailmaan — lujasti vakautuneina siitä, että itse taivaan ja maan hallitsija, Jumala, oli antava heille lähetystyössään voiton Herran Jeesuksen Kristuksen kautta (1 Kor. 15: 57). Näihin ensimmäisiin Kristuksen lähetteihin, jotka olivat olleet köyhiä kalastajia, liittyi Jumalan ihmejohdatuksesta pian hyvin kouluutettu, Rooman suuren valtakunnan kansalaisena syntynyt Kilikian Tarson mies Saul — myöhemmin tunnetaan nimellä apostoli Paavali, jolla sukulais-suhteittensa perusteella näyttää olleen silloisen maailman pääkaupungissa Roomassa vaikutusvaltaisia ystäviä (prof. A. Saarisalo). Tästä miehestä, apostoli Paavalista, tuli, kun Jumala sai hänet käsiinsä, oppineisuutensa ja lahjojensa puolesta mahtavan Rooman kansalaisoikeuksien omistajan erittäin tärkeä ase niin Kristuksen evankeliumin syvällisenä selittäjänä kuin sen maailmalle viemisessäkin. Hän oli suuri Jumalan lahja kirkolle! Tulisieluisen apostoli Paavalin ja jo ennemmin lähetystehtävään kutsuttujen kalastaja-apostolien kautta levisi Kristuksen evankeliumi nopeasti Pyhästä Maasta avaraan Rooman valtakuntaan aina Espanjaan saakka. Se sieltä myöhemmin seuraavina vuosisatoina Ranskaan ja 800-luvulla erittäin hurskaan pohjois-Ranskan miehen Ansgarin kautta (nimi merkitsee suomeksi "Jumalan keihäs") Saksaan Hampuriin, jossa Ansgar myöhemmin toimi arkkipiispana, ja sieltä edelleen pohjoiseen Tanskaan ja Ruotsin Mälarin rannoille, sitten Norjaan viikinkien asuntomaille ja ehkäpä Suomenkin "luodoille" asti, joista jo Mikael Agricola kirjoituksissaan mainitsee ja joihin kristinusko oli tullut aikaisemmin kuin itse Suomen mannermaalle. Intomielisenä työssään ja aina valmiina harjoittamaan laupeutta köyhiä ja sairaita kohtaan onkin tälle hurskaalle, rukouselämäsäsään palavalle Kristuksen evankeliumin julistajalle jälkipolvi antanut nimen "Pohjoismaiden apostoli" (tri Lauri Pohjanpää).

Voisi olla mahdollista, että Norjan viikinkien kautta olisi ehkä edes vähäinen säde kristinuskosta ja sen valosta heijastanut Amerikankin intiaanien elämään, koskapa tiedämme, että viikinkejäkin oli jo 900— 1000-luvuilla kastettu Norjassa kristinuskoon, jopa itse kuninkaan hovissa. Mutta mitään pysyvämpää kristillistä vaikutusta nämä Norjan viikingit eivät kuitenkaan Amerikkaan jättäneet, sen paremmin kuin 600 vuotta myöhemmin Hudson-virran rannoille Jens Munkin matkueessa tänne v. 1619 saapuneet Tanskan luterilaisetkaan — hehän, paitsi 4 henkeä, kuolivat Uuden Maailman oudoilla rannoilla kylmiin viimoihin, tauteihin ja nälkään. Heidän mukanaan sai paimenensakin past. Ramus Jensen täällä hautansa saarnattuaan 3—4 kuukauden aikana ensimmäisenä luterilaisena pappina Kristuksen evankeliumia Amerikassa. Tänne jäivät heidän hautansa tuntemattomiin. Mutta Herra kuitenkin tuntee omansa ja heidän viimeisen leposijansakin.

Ruotsalaisille ja suomalaisille,

jotka saapuivat Amerikkaan v. 1638, jäi siis arpa *ensimmäisinä:* 1) perustaa tänne ensimmäinen luterilainen seurakunta Delawaren rannoille v. 1638 — 2) saada luoksensa tänne ensimmäinen luterilainen paimen, past. Reorus Torkillus v. 1640 — 3) rakentaa ensimmäinen luterilainen kirkko kauniille Tinicum-saarelle, lähellä Philadelphiaa, v. 1646 — 4) antaa ennen muita Amerikan intiaanien käteen heidän omalle kielelleen käännetty Lutherin Vähä-Katekismus (käännöstyön suoritti v. 1643 Amerikkaan saapunut ruotsalainen pastori John Campanius) — 5) toimittaa ensimmäinen luterilainen ordinatio Amerikassa v. 1703,

jolloin papiksi vihittiin Justus Falckner Delawaren
seurakuntiin. Lisäksi saivat suomalais-ruotsalaiset ar-
mon rakentaa useita muitakin kirkkoja, joista tässä
mainitsemme vain Gloria Dei kirkon Philadelphiassa,
yhä edelleen kaupungin vanhimpia nähtävyyksiä (vi-
hitty 1700), sekä myöskin Holy Trinity kirkon Wil-
mingtonissa, Delaware. Tämä kirkko vihittiin 1699
ja sen alttariseinää kaunisti vihkijuhlassa rautainen
kaarikirjoitus: "Si Deus Pro Nobis, Quis Contra Nos?"
— Suomeksi: Jos Jumala on meidän puolellamme,
kuka voi olla meitä vastaan? (S. Ilmonen.)

Kun saksalaisia alkaa saapua rannoillemme,
silloin muodostuu etenkin Itä-Amerikkaan lukuisia
uusia luterilaisia seurakuntia. Esim. Pennsylvaniassa,
jossa oli paljon suomalaisia ja ruotsalaisia, oli 1700-
luvulla väestöstä — 30,000 — kuitenkin 4/5 osaa Sak-
sasta tulleita ja vain 1/4 Ruotsi-Suomesta tulleita.
Saksankielellä saarnattiin saksalaisille, sen käytöstä ei
millään tahdottu alussa seurakunnissa luopua. Mutta
niin varhain kuin 1694 piti past. Heinrich Bernhard
Koester kuitenkin englanninkieliset kirkonmenot
Germantownissa ja Philadelphiassa. Ne olivat kai
ensimmäiset englanninkieliset luterilaiset kirkonme-
not Amerikassa? Silloin jo huomioitiin tarve saarnata
luterilaisille englanninkielelläkin ja tämä huomio on
jatkunut läpi vuosisatojen, kunnes sen kielenkäyttö
on päässyt täysiin oikeuksiinsa maassamme, jossa vi-
rallinen kieli on englanti.

Jumalan siunauksessa vähäisetkin voimat saavat suuria aikoihin

Kolme pientä luterilaista seurakuntaa Philadelphian seuduilla tekivät köyhyydessään uskaliaan päätöksen kutsua seurakuntiinsa papin Saksasta. Tämä mies, joka silloin sai kutsun papiksi Amerikkaan, oli nuori, tulisieluinen kirkonpaimen past. Henry Melchior Muhlenberg, joka, vilkas kun oli, saapui Amerikkaan aikaisemmin kuin mitä seurakunnat täällä taisivat edes odottaakaan. Hän tuli marraskuulla v. 1742. Hänen mukanaan Jumala, lähetyksen Herra, toi Amerikan pieniin luterilaisiin seurakuntiin uutta elämää niin runsaasti, että pian oli täällä monia eläviä seurakuntia ja innolla toimivia kirkkokouluja past. Muhlenbergin seurakunta-alueella, joka ulottui Delawaren rannoilta New Yorkin, Georgian, South Carolinan ja Virginian valtioihin. Olihan siinä aluetta yhdelle seurakuntapaimenelle! Se oli todellinen "Parish", suomeksi sanoisimme "pitäjä-seurakunta" sanan laajassa merkityksessä. Vähän sen tapaista oli alussa suomalaistenkin kirkollisessa työssä täällä.

Past. Muhlenbergin uraa uurtava seurakunnallinen ja yleensä kirkollinen toiminta oli niin laajalle ja syvälle ulottuvaa ja kirkollista elämää täällä järjestävää, että jälkipolvi on antanut hänelle nimen "Patriarch of the Lutheran Church in America" sekä pystyttänyt hänen muistolleen juhlavan patsaan, jossa Henry Melchior Muhlenberg on kuvattu pappispuvussaan, julistamassa Jumalan sanaa, toisessa kädessään hänellä on Raamattu ja toinen käsi on kohotettu taivasta kohti. Vaikuttava patsas Philadelphian Seminaarin (teol. tiedekunnan) kampuksella!

Past. H. M. Muhlenberg oli se mies,

joka ensimmäisten joukossa harrasti luterilaisten seurakuntien yhtymisaatettakin ja johti ensimmäistä luterilaista synodia, jota alussa kutsuttiin nimillä "The United Pastors or the United Congregations" — myöhemmin "Ministerium of Pennsylvania", ja tästä "Min. of Penn" muodostui aikanaan synodit New Yorkin, North Carolinan ja Ohion valtioihin, y.m. synodeja. Myöhemmin muodostui luterilaisten keskuuteen vielä General Synod, United Synod of the South, sekä General Council. Vihdoin n.k. United Lutheran in America v. 1918 yhdisti kokonaista 32 synodia yhden ja saman kirkollisen hallinnon alle. Se oli huomattava askel eteenpäin yhtymisaatteelle Amerikan luterilaisen kirkollisen elämän järjestymiseksi "saman katon" ja hallinnon alle, siten poistaen samalla tarpeettomia kuluja ja hankaluuksia. Ajatelkaa, kun pienessä kylässä saattoi olla viisikin eri lut. kirkkoa, joihin papit tulivat kaukaa pitkien matkojen takaa! Mitä kuluja, ja mitä hankaluuksia ihmisille paikkakunnilla, kun oli äkkiä saatava kirkollista palvelusta? ULCA'n kirkkokunnan muodostuminen oli hyvä ja kirkollisia olojamme järjestävä tapaus aikanaan — jatkoa past. Muhlenbergin aatteille. Yhden seurakunnan saanti viiden sijaan paikkakunnalla korjasi asian. Mutta ei vielä käänteentekevää laatua, sillä kirkkokuntia eli synodeja jäi useita tämän uuden kirkkokunnan ULCA'n ulkopuolelle.

Mutta siunattu esimerkki tulevalle ajalle. — Tähän asti huomatuin ja käänteentekevin askel luterilaisten kirkkokuntien yhtymiseksi otettiin Michiganin Detroitissa kesäkuun 28 päivänä vuonna 1962, jolloin suuri ULCA, Augustana, Suomi Synod ja tanskalaisperäinen AELC päättivät yhtyä *yhdeksi kirkkokunnaksi* yhden ja saman kirkkohallinnan alle. Tämä tapaus, Cobo Hallissa pidetty kirkolliskokous juhlamenoineen ja Herran Pyhän Ehtoollisen viettoineen, joissa 40 pappia oli jakamassa pyhintä ateriaa noin 6000:lle Jumalan armoa ja vanhurskautta isoavalle ehtoollisvieraalle, oli niin vaikuttava, erikoinen siunattu ja kirkkohistoriallinen tapaus, että kyynel vierähti monenkin silmäkulmaan ja sydämistä lähtenyt kiitosvirsi kajahti voimakkaana Jumalan ylistykseksi kirkoksi muodostetun Cobo Hallin avaran ja korkean katon alla. Ymmärrettiin syvästi runoilijan sana: "Ajasta aikaan varjellut, Herra, oot kirkkoamme, Sanallas meitä ohjannut kaikissa vaiheissamme."

Yli 3,200,000 luterilaista

oli täten yhtynyt *yhdessä* viemään Kristuksen evankeliumia kaikkeen maailmaan. Niiden mukana Suomi Synodikin, jolle perustuksia täällä alussa loivat sellaiset uskolliset, pitkäaikaiset, suomalaisen kirkkokansan palvelijat kuin past. A. E. Backman, tri J. K. Nikander, tri J. J. Hoikka ja past. K. L. Tolonen sekä heidän työnsä jatkajat, maallikot ja paimenet olivat. Suomi Synodi siis nyt *jatkaa* työtään uusissa oloissa ja laajemmissa piireissä yhdessä muiden luterilaisten kanssa kirkkokunnassa, joka kantaa nimeä *Lutheran*

Church in America, jonka juuria ja historiallista kehitystä olemme tässä muutamin välähdyksin koettaneet selostaa. Sillä todella hyvä on tuntea nykyisenkin kirkkomme LCA'n kehittymistä nykyiseen asemaansa ja nykyisiin tehtäviinsä.

Mutta vielä jäämme kirkon Herralta Jeesukselta Kristukselta odottamaan sitäkin aikaa, jolloin Amerikassa on, pääasiassa, vain *yksi* luterilainen kirkko. Ja se aika on silloin meillä, kun kirkkomme LCA, Lutheran Church—Missouri Synod, The American Lutheran Church sekä Synod of the Lutheran Churches ovat yhtyneet pienempien lut. synodien kanssa. Silloin on nykyinen 9-miljoonainen luterilainen kirkkokansa Amerikassa jo ylittänyt 10-miljoonaisen luvun — ja mikä vieläkin parempi: Amerikan luterilaisten kohdalla on toteutunut tämä Kristuksen harras rukous "että he yhtä olisivat" — edes kirkkohallinnollisesti.

Kirkkomme nykytehtävistäkin

on rajoitetun tilan vuoksi S-K:n Kirk. Kalenterissa mainittava vain lyhyin viittauksin. LCA-kirkkomme työkenttä on erittäin laaja. Se ulottuu pohjois-Kanadan kylmiltä rajoilta läpi Yhdysvaltojen kauas etelään, tropiikkiin, Caribbean meren lämpöisille saarille, jonne tanskalaiset jo 1600—1700-luvuilla toivat Kristuksen evankeliumin ja perustivat sinne luterilaisia seurakuntia. St. Thomas-saarella m.m. on LCA'n hoidossa nykyisin jo niin varhain kuin 1666 perustettu lut. kirkko. Laaja on siis tämä kotoinen työmaa! Mutta tähän voidaan hyvällä syyllä lisätä

vielä ulkomailla — 16 eri maassa — olevat suuret
lähetyskentät. Eloa on siis paljon, kun yksistään jo
kotimaassakin on LCA'n hoidettavissa noin 6,196 seu-
rakuntaa. Työntekijöitä siis tarvitaan! Niitä lähetyk-
sen Herralta on jatkuvasti pyydettävä, sillä kirkkom-
me LCA'n 6,842 pappismiehestä lukuisat — aivan
legio — joutuvat antamaan palveluksensa kirkon mo-
nissa johtoasemissa, sosiaalisissa laitoksissa, collegeissa
ja yliopistoissa (21) sekä teol. tiedekunnissa (10 semi-
naareissa). Niin työntekijäin kuin uusien työmait-
tenkin — uusien seurakuntien lisäämiseksi kirkkom-
me piirissä on kotilähetys osoittautunut kirkkomme
historian alusta alkaen aivan ensitärkeäksi työmuo-
doksi. Juuri tässä työmuodossa onkin aikain kuluessa
liikkunut Jumalan erikoinen siunaus.

Kirkkomme on hallinnollisesti jaettu 31 synodiin.
Koskapa niillä kaikilla on oma presidenttinsä ja hal-
lintonsa, voisimme niitä suomalaisittain kutsua "hiip-
pakunniksi", joita yhdistää yhdeksi kirkoksi Pyhä
Raamattu, luterilaiset tunnustuskirjat, yhteinen kirk-
kolaki ja LCA'n ylin toimeenpaneva kirkollinen hal-
litus n.k. Executive Council, jonka virkailijoina ovat
tätä kirjoitettaessa: Teol. tri Franklin Clark Fry, pre-
sidentti; teol. tri Malvin H. Lundeen, sihteeri, ja tri
Edmund F. Wagner, rahastonhoitaja. Executive Coun-
cilin jäseninä kaikkiaan on 27 miestä, edustaen kirk-
kokuntamme eri ääriä ja eri toiminta-aloja. Kirkkom-
me pää-äänenkannattajana on "The Lutheran".

Luterilaisen kirkon työ Amerikassa alkoi hyvin
pienestä alusta 1600-luvulla ja jatkui läpi monien eri

vaiheitten, jolloin luterilainen kirkkokansamme on usein ja syvästi saanut todeta, että Jumala, Kristuksen sovintotyöön ja esirukousten tähden, aina siunaa nöyryydessä ja uskollisuudessa tehdyn työn. Kirkollisessa työssämme on "sinapinsiemenestä" Jumalan siunauksessa tullut "suuri puu", jonka tuuheat oksat jo ulottuvat yli maapallon ja siunaavat siellä ihmiskuntaa monin eri tavoin.

Tähän Lutheran Church in America kirkkokuntaan on kansojen ja ihmisten Kaitsija Jumala johdattanut tuhansia ja tuhansia suomalaiseenkin heimoon kuuluvia, Amerikan kansalaisia ja asukkaita.

⋆ ⋆ ⋆

Profeetta Jeremia kirjoittaa kirjansa 29. luvussa jae 7: "Harrastakaa sen kaupungin menestystä, johon minä olen teidät siirtänyt, ja rukoilkaa sen puolesta". Ja apostoli Paavali kehoittaa 1 Tim. kirjeensä 2. luvussa: "rukoilemaan, pitämään esirukouksia ja kiittämään kaikkien ihmisten puolesta, kuningasten ja kaiken esivallan puolesta" — niin emmekö me myöskin rukoilisi *oman* kirkkomme, Lutheran Church in America, puolesta ja emmekö me myöskin kiittäisi Jumalaa kirkostamme, jonka Häneltä olemme saaneet? Totisesti niin tahdomme tehdä! Rukous ja Jumalan kiittäminen, ylistäminen, tuo voimaa ja siunausta niin kirkollemme ja kodeillemme kuin kansakunnallemmekin — koko ihmiskunnalle.

Kreolen ev.-lut. seurakunnan historia

(Jaakko Pikka)

KREOLEN, MISS., ev.-lut. seurakunta sai viettää sen 60-vuotisjuhlaa lokak. 27 p. 1963. Kirkolle oli kokoontunut suomalaisia sekä muunkielisiä juhlia

Seurakuntaväkeä koolla v. 1926

viettämään. Ensin syötiin juhla-ateria kirkon pihalla; sitten mentiin kirkkoon, jossa vietettiin hartaushetki niiden muistolle, jotka ovat olleet seurakunnan perustajia. Pidettiin juhlapuheet englannin- ja suomenkielellä sekä laulettiin kaksi laulua suomenkielellä. Muisteltiin menneitä aikoja sekä ensimmäisiä suomalaisia, jotka ovat tänne tulleet, kuten Gideon Niemi, 1899. Vuosina 1900 ja 1901 tuli enemmän suomalaisia, kuten Samuel Siurua sekä Joseph ja Oskar Nieminen perheineen. Tuli toisiakin perheitä niin että oli kymmenkunta perhettä. Aatu Rekosen johdolla tuli lisää niin että päätettiin perustaa seurakunta.

Ensimmäinen seurakunnan kokous pidettiin loka-
kuun 27 p. 1903; tässä kokouksessa valittiin virkaili-
jat. Esimieheksi tuli Joseph Nieminen, kirjuriksi
Kalle Laine, rahastonhoitajaksi Samuel Siurua, ra-
hastonkirjuriksi Oskari Nieminen, trustee-jäseniksi
Gideon Laine, Johan Laine ja Johan Laakso. Dia-
koneiksi tulivat Kaarlo ja mrs. Lehtonen sekä mrs.
Olga Laakso.

Kreolin seurakunnan kirkko

Yksi seurakuntamme perustavista jäsenistä on vielä
elossa, nimittäin mrs. Emma Jojit Nieminen Hilli.
Pastori Adolph Riippa kirjoitti seurakunnan säännöt
ja hänen johdollaan seurakunta yhdistettiin Suomi-
Synodiin. Seurakunnalle annettiin nimeksi South-
west Kreolin Ensimmäinen Evankelis-Luterilainen
seurakunta, joka oli paikan nimi silloin. Seurakunta
laillistettiin Mississippin valtion lakien mukaan heinä-
kuun 20 p. 1904; allekirjoittajat olivat: Pastori

Adolph Riippa, Gideon Laine, Samuel Siurua, Oskari Nieminen, Johan Laine, Johan Laakso, Mauritz Nurmi ja Antti Sippola. Laillistettaessa seurakunta yhdistettiin myös Erie Järven Konferenssiin ja muutettiin seurakunnan nimi, Laine Pecan Seurakunta, koska tämä oli silloin paikkakunnan nimi. Postitoimiston nykyinen nimi seurakunnallamme on Kreolen Ensimmäinen Ev. Luth. Seurakunta.

Seurakuntaväkeä koolla huhtikuulla v. 1954

Täällä on käynyt 43 pastoria. Enin osa näistä papeista ovat olleet Lake Erie Konferenssin seurakunnista. Nämä papit ovat käyneet kaksi kertaa vuodessa luonamme. Ensin kokoonnuttiin perheissä ja pidettiin pyhäkoulua, mutta koska tilat olivat pienet, tehtiin päätös, että laitetaan kirkko. Mistä saataisiin kirkolle tontti sekä rakennusrahat. Gideon Laine lupasi antaa seurakunnalle maata, että kirkko voitiin rakentaa sekä lisää maata, että saatiin hautausmaa kirkon sivulle. Näin alettiin hommaan. Setonia Watjus ja Emil Haarala lähtivät keräämään aineita sahamyllyltä ja saivat vapaasti aineet niin, että vain ovet, lasit, maali ja naulat jouduttiin ostamaan. Koska työ tehtiin vapaasti, niin voitiin kokoontua uuteen kirkkoon v. 1907. Pyhäkoulua on pidetty joka sunnuntai Pecanin kouluhuoneessa ja Kreolen kirkossa. Pecanin ja Kreolen väliä on viisi mailia; tästä johtuu miksi pyhäkoulua on pidetty kahdessa paikassa. Viime aikoina on kokoonnuttu vain kerta kuussa yhteisiin hartaustilaisuuksiin senjälkeen kuin kirkkokunnat yhtyivät LCA-kirkkokunnaksi. Vuonna 1963 perustettiin uusi seurakunta Pascagoulaan, Holy Comfort seurakunta. Siellä olemme käyneet joka sunnuntai. Siitä huolimatta olemme vielä pitäneet suomalaista seurakuntaa koossa ja kokoonnumme kerta kuussa suomalaisiin hartaustilaisuuksiin. Täällä on vielä seurakunnan jäseniä 14. Pastori ja mrs. John Saarinen olivat täällä viime helmikuussa pitämässä jumalanpalveluksia.

Vuoden 1964 juhlilla seuarkunnan maalla

Kaksi valoa vastakkain

(Arvo J. Korhonen)

OLLESSANI Oregonin valtiossa, käyden samalla Columbia-joen pohjoispuolella, Washingtonin valtiossakin, erään kerran sattui häätilaisuus, jossa allem. piti vihkitoimituksen aurinkoisena kesäiltana talon tyttären ja hänen rakastettunsa väen ympäröimänä. Se oli ihana unohtumaton ilta! Hääkestitystä kesti pöytien ääressä jälkeen toimituksen kauan aikaa, kuten tavallista. Kaikki oli rattoisaa ja raitista, sillä talonväki oli uskollista toimivaa seurakuntaväkeä. Emäntä tiesi sen että "vanhurskas on elävä uskosta".

Häätaloon tietenkin minä yövyin. Lepo oli rauhaisaa, siunattua ja virkistävää seuraavaa päivää varten j.n.e. Tuli aika lähteä laivarantaan. Laiva kulki pitkin ja poikin Columbia-jokea kun ensin kierteli Deep Riverin aavalle Columbian vesille. Niin ollen, vesimatkaa muistaakseni oli 15 mailia, vaihdellen tyyntä ja myrskyä eri kulkuvuoroilla päivittäin. Häätaloon mentiin maantietä, mutta paluumatkaksi neuvottiin lyhempi tie ja se oli rautatie, oikein "tukkitie", niinkuin sanottiin, jota myöten Washingtonin suuria "fieritukkeja" tuotiin Deep Riverin rantaan ja sitä laskettiin Columbia-jokeen sahamyllyille vietäviksi. Timpereitä ja lankkuja lastattiin laivoihin. Kerrankin oli Knapptonin sahamyllyn lastausrannassa japanilainen rahtilaiva, johon kiireellä pantiin puutavaraa. Eräs suomalainen mies kysyi japanilaiselta: "Mitä te teette tästä tavarasta?" Mies vastasi: "You'll see

Sotkamon kirkko
(Pastori Korhosen lapsuuden kirkko)

by and by." Tarkoitti lentokoneita. Se oli silloin sotaista aikaa ennen Pearl Harborin pommitusta.

Vielä palaan paluumatkaan häätalosta rautatietä laivarantaan. En voi sanoa kuinka pitkästi rautatietä kuljin, mutta tiellä näin näyn ja opin jotakin. Tulin tunnelin eteen. Ensin en sen aukkoa huomannut kun näytti että tie loppuu vuoreen. Päästyäni suuren tunneliaukon avonaiselle ovelle, katsoin sisälle, lienee se noin varttimailia pitkä. Sen läpi katsottuna ulos menevään aukkoon se näytti melkoisen valoisalta. Kuuntelin josko kuuluu tukkijunan jyrinä, etten lähde sen kanssa kilpailemaan maan alle kaidalla tiellä. Ei kuulunut jyrinää, eikä liioin salamoinut, sillä silloin oli kirkas lännen aurinkoinen päivä meren hengessä. Kävelin — kävelin tunnelissa ja kun lähestyin puoliväliä, niin matka muuttui mustaksi ja tunneli tuli pimeäksi. Epäilin ensin silmiäni, mutta kun katsoin eteeni ja taakseni, niin aukot näkyvät pienemmässä koossa kylläkin valaistuna. Opin sen että kaksi valoa vastakkain tulleena pimittävät toisensa. Ne olivat maailman valoja, sillä ylhäältä tuleva luonnon valokaan ei päässyt vuoritunneliin. Laulamme eräässä laulussa: "Maailman valo sammukaan, Mä siit' en huolis ollenkaan. Mull' aurinko on taivaassa, Ylhäällä Isän huoneessa."

Isän huoneessa ylhäällä oleva valo on itse Jeesus Kristus. Hän lähti Isän helmasta Isän rakastamana tänne pimeään maailmaan sellaisen kansan keskuuteen joka pimeässä vaelsi ja se sai nähdä suuren valon. Jeesus sanoo itsestään: "Minä olen maailman valo, Joka minua seuraa ei hän pimeydessä vaella vaan hänellä on elämän valo." "Yksi on välimies Jumalan ja ihmisen välillä ja se on Jeesus Kristus."

Jos minut olisi tietämättä vuoren alle tunneliin pimeään paikkaan pantu kahden vastakkaisen valon välimaille ja sanottu: "Toinen on totuuden valo ja toinen varjostava valo", niin avuttomaksi tietenkin olisin tullut. Varjostava valokin näyttää aivan todenperäiseltä kun menet katsomalasin eli peilin eteen, niin kyllä varjosi valehtelematon on vielä pimeässäkin kun otat kynttilän käteesi. Sanotaan että hän on niin arka että pelkää varjoaan. Niin kävi eräälle kiinalaielle vaimolle kun hän ei ollut ikinä ennen nähnyt peiliä ja hänen miehensä eräänä päivänä toi sen ja asetti näkyvään paikkaan. Kun vaimo meni ensi kerran elämässään sitä tai siihen katsomaan ja näki varjonsa, niin hän säikähti siitä ja sanoi: "Miehelläni on toinen vaimo, joka näkyy tuosta taikakalusta", ja heti kohta kiihtyneenä hän särki peilin. Toinen vaimo meni pian pirstaleiksi. Sehän todisti taitamattomuutta, tietämättömyyttä y.m. yksinkertaisuutta.

Raamattu sanoo: "Ihminen näkee mitä silmäin edessä on, mutta Herra katsoo sydämeen." Sydämestä, sielusta, ei ole kelvollista kuvanottajaa maan päällä. Fariseus, tekopyhä, ulkokullattu ja omavanhurskas, maalaavat mielellään itsestään omahyväisiä kuvia ja lähimmäisistään aivan arvottomia kuvia. Lähimmäisen rakkaus niistä puuttuu. Vertauskuvannollisesti Jeesus antaa kuvan ihmisen olennosta sanoen: "Hedelmästä puu tunnetaan." Hyvä puu kasvaa hyödyllisiä hedelmiä ja huono puu kelpaamattomia pahoja hedelmiä. Joh. 15 luvussa Jeesus tekee selvää itsestään ja oksista, jotka ovat pyhän kasteen kautta Häneen oksastettu, kuinka niistä on paljon kuivaa, mutta taivaantarhuri karsii ne pois ja ne heitetään tuleen palamaan. Hedelmäätekevät oksat tarvitsevat myöskin puhdistamista. Niihin kasvaa hyötyoksia, vesioksia, jotka kasvavat joutuin monta jalkaa kesässä, imevät paljon voimaa sen hedelmiä kantavien oksien osalta.

Jeesus sanoi valituille opetuslapsillensa: "Te olette maailman valo." Juudas Iskariotissa Jeesus-valo oli sammunut. Niinpä kiiruhtikin hän ennenaikaiseen pimeyteen ja omaan paikkaansa. "Kenellä ei ole Kristuksen henkeä, se ei ole Hänen omansa ja ne vain ovat Jumalan lapsia, joita Jumalan henki kuljettaa." Paavali ei puhu varjovalosta vaan totuudenvalosta missä hän itse eli ja vaelsi.

Eräs henkilö sanoi kerran: "Minä käyn kaikkia kuulemassa. Jeesuksesta ne puhuvat." Eihän se todista elävästä uskosta vaikka kuuleekin puhuttavan Jeesuksesta. Jeesus sanoo vääriä kristuksia tulevan, jotka eksyttävät monta ja varoittaa niitä seuraamasta ja kuulemasta. Jeesus sanoo selvästi: "Katsokaa mitä kuulette." Täytyy olla raamatun sana pohjana uskolle, että tuntee elävän pelastavan Kristuksen omakohtaisena Vapahtajana. Hän, totinen valo, kirkastaa Isän nimeä ihmisille, tehden sitä jatkuvasti. Kun syventyy sydämessään tutkimaan Jeesusta Kristusta, jolle on annettu kaikki valta ja voima taivaassa ja maan päällä, niin tuntuu kuin puuttuisi yleensä paljon Kristuksen sisäistä tuntemusta. Paavali jo joutui aikoinaan kysymään kuullessaan eri puolueista: "Onko Kristus jaettu?" Kyllä Kristusta on jaettu ja jaetaan vieläkin. Sitähän tarkoittaa se kun syntyy uusia joukkosuuntia ja lahkoja lakkaamatta, joilla on vain Jeesus-nimi mutta ei itseään Jeesusta. Ihmisen Poika tulee kirkkaudessaan ja kaikki saavat Hänet nähdä. Ei mikään vastakkainen valo voi Hänen valokirkkauttaan himmentää. Hänen pyhä kallis verensä on valkaissut vanhurskasten vaatteetkin ja Hän on iankaikkisuudessa valkeutena, kirkkautena. Pelastetutkin loistavat Jeesuksen Kristuksen kirkkaan ruumiin ihanuutta ja autuutta. "Jeesuksen kuolo ja kasteeni kallis, Niissä ma kurja oon taivaaseen valmis."

Muuttuileva maailma

(Lauri T. Pikkusaari)

MILLOIN miellyttävällä, milloin taas epämiellyttävällä tavalla, lähes jokainen ihminen saa yhtämittaa havaita, että maailma ja elämänmeno on jatkuvasti muuttumisen tilassa. Mielessämme haluaisimme pitää näitä muutoksia ohimenevinä tai paikallisina ilmiöinä, mutta ajattelevina ihmisinä huomaamme aivan pian, että mikään paikka maapallolla ei ole vapaa muutoksista. Siirtosuomalainen ehkä viimeiseen asti säilyttää mielessään kuvan synnyinmaastaan sellaisena kuin se oli hänen sieltä lähtiessään, mutta jos hänellä on tavallinen ajattelemis- ja huomioimiskyky, niin hän oivaltaa, että ei Suomikaan enää ole se, mikä se oli ihmisikä sitten, ja tämä havainto hänen on pakko tehdä saamiensa tietojen nojalla, vaikka ei olisikaan koskaan käynyt Suomea katsomassa lähtönsä jälkeen.

Näitä muuttuneita ja tuskinpa on olemassa sitä ihmiselämän puolta tai kolkkaa, johon muutokset eivät olisi ulottuneet. Itse ihmisiän pituuskin on muuttunut, niin että keski-ikä on nyt paljon pitempi kuin vielä viisikymmentä vuotta sitten, mistä seikasta saamme kiittää sekä viisastunutta lääketiedettä että parantuneita asunto- ja ravitsemus-oloja y.m. Vuosia sitten lueskelin Kanadan Suomalaisen Historiaseuran arkistossa siellä talletettavia *Canadan Uutiset*-lehden vanhoja numeroita, muistaakseni sillä kertaa vuodelta 1915. Luin, kuinka Port Arthurin tai ympäristön suomalaiset olivat viettäneet syntymäpäiväjuhlaa eräälle muistaakseni Karila-nimiselle suomalaiselle miehelle, joka täytti 50 vuotta. Uutiskirjoittaja kertoi juhlasta ja mainitsi samalla päivänsankarista m.m. tähän tapaan: "Tämä vanhus on vielä pirteissä sielun ja ruumiin voimissa". Joskin siihen aikaan tällainen maininta miehestä saattoi olla kunnioittava ja hyvä, niin nykyoloissahan sellainen maininta olisi suorastaan loukkaava, sillä vanhuksiksihan nykyään sanotaan 70 vuotta täyttäneitä eikä aina vielä heitäkään.

Koska yleensä on jokaiselle hyväksi tuntea sekä menneisyyttä että nykyisyyttä, niin lienee paikallaan mainita tässäkin kirjoituksessa joitakin niistä muutoksista, mitä nykyään elävät ihmiset ovat nähneet omin silmin. Niinpä kirjojen tekijät saavat yhtämittaa havaita, että heidän tekemänsä kirjat ovat vanhanaikaisia melkeinpä kohta painosta päästyäänkin. Esimerkiksi ihmisen henkisen elämän tutkija Eino Kaila kirjoitti kirjan nimeltä "Persoonallisuus", josta tuli tiedemiesten ja kansan suosima kirja koko Pohjoismaissa,, mutta jo muutamien vuosien kuluttua tämän kirjan erään uuden painoksen esipuheessa sen tekijä valittaa, että kirja olisi pitänyt oikeastaan kirjoittaa jo uudestaan, sillä niin paljon oli siihen mennessä ilmaantunut uutta tämän tieteen alalla maailmassa. Ja kuinka monilla muilla kirjoilla maailmassa on ollut sama kohtalo, joskin tietysti hyvä kirja aina sisältää jotakin muuttumatontakin totuutta, joka kestää aikojen vaihtelun. Ja toisaalta, kuinka paljon nykyään elävien aikana on saatu päteviä kirjoja asioista, joista ennen ei kunnollisia kirjoja ole ollutkaan! Voisimme olettaa, esimerkiksi, että Kanadan ja Yhdysvaltojenkin koteihin on levinnyt valtavat määrät Suomessa jälkeen ensimmäisen maailmansodan ilmestyneitä kirjoja. Erinomaisia uudempia hartauskirjoja voi nykyään tavata hyvin monissa seurakuntalaiskodeissa, alkaen E. W. Pakkalan kirjoista aina viimeaikaisimpiin asti. Ja aivan uusia hengellisiä lehtiä ja aikakausjulkaisuja on myöskin ilmestynyt, jollaisia hengellisen elämän apuneuvoja vanhemmilla siirtosuomalaisillemme ei ollenkaan ollut, niinkuin *Sana*-lehti sekä Muroman "Herää Valvomaan!"-lehti ja monet muut. On ymmärrettävää, että ulkomailla elävien suomalaisten, vieläpä suomalaisten jälkeläistenkin mielenkiinto Suomen ja suomalaisten muinaisuuteenkin on aina ollut elävää. Mutta kuinka paljon paremmassa asemassa olemme siinä suhteessa nyt kuin vain yksi ihmisikä sitten! Maakuntaliitot ovat julkaisseet mainioita historioita maakunnistaan ja useat pitäjät vielä erikseen omista pitäjistään ja koko maata koskevia historioita ovat julkaisseet useatkin uudenaikaisemmat tutkijat, kuten Jalmari Jaakkola, Ella Kivikoski ja monet muut. Ja Suomen Kirkon historiasta on myöskin nyt olemassa sellaisia päteviä historioita kuin esimerkiksi arkkipiispa Ilmari Salomiehen laatimat, j.n.e. Muutokset ovat olleet siis kirjallisuuden alalla kerrassaan valtavia. Sen lisäksi ainakin siirtosuomalaisten jälkeläiset ovat päässeet osallisiksi myöskin niistä lisistä, mitä viimeisin ihmisikä on tuonut englanninkieliseen ja muuhun kirjallisuuteen, mitä erilaisimmilla kirjallisuuden aloilla, joihin kullakin yksilöllä on ollut persoonallisuuttaan vastaavaa mielenkiintoa. Toinen kysymys sitten erikseen on, missä määrässä siirtosuomalaiset ovat halunneet ja voineet käyttää lisääntyneitä mahdollisuuksiaan kirjallisuuden saantiin. Siinä suhteessa allekirjoittanut ei liene matkustellut Amerikkaa ja Kanadaa niin laajalti kuin monet muut, mutta kuitenkin olen minäkin siellä täällä nähnyt tavallisilla kansanmiehilläkin kerrassaan suurenmoisia kotikirjastoja. Niinpä arvelisin, että monien näkemieni kanadansuomalaisten kotikirjastot ovat sisältäneet useita satoja kirjanidoksia. Ja yleisvaikutelmanani on, että esimerkiksi hengellisesti valveutuneiden seurakuntalaisten kodeissa on usein erinomaisen hyvä valikoima aivan nykyajan parasta hengellistä luettavaa.

Kaikessa muussakin tiedonlevittämistoiminnassa viimeisin ihmisikämme on nähnyt suuria muutoksia (joskin olen monta kertaa aavistellut, että jopa aivan esihistoriallisinakin aikoina on tiedoilla ollut hämmästyttävä kyky levitä nopeasti ja laajalle, huolimatta siitä, että tiedemiehet nykyisinkin opettavat meitä olemaan sitä mieltä, että tietojen leviäminen muinaisuudessa on ollut tavattoman hidasta (. Saammehan nykyisin kaikesta tärkeämmästä, mitä maailmassa tapahtuu, tiedon aivan tuntien sisällä, ei vain kuultuna tai luettuna sanana, vaan jopa nähtyinä televisio-kuvina. Ennen vain harvojen saatavilla ollut musikaalinen taidekin, esimerkiksi, on tullut jopa verrattain köyhienkin ihmisten ulottuville gramafoonilevyjen kautta, joita lähes jokainen pystyy ostamaan ja siten pystyy kuulemaan aivan parhaitten säveltäjien sävellyksiä parhaitten esittäjien esittäminä. Ennen läheteltiin valtamerien ylitse sukulaisille melkein vain kirjeitä tai harvemmin paketteja, nykyisin lähetetään omaisille liikkuvia kuvia filmeinä ja puheita y.m. nauhalle äänitettyinä. Jotapaitsi matkustelu on tullut ei vain välikappaleeksi, vaan tarkoitukseksi sinänsä, josta köyhempikin pääsee osalliseksi.

Tässä nopeiden muutosten maailmasa ei ole sekään aivan harvinaista, että näkee ihmisten mieluummin turvautuvan vastavalmistuneisiin lääkäreihin kuin kauan sitten valmistuneisiin lääkäriveteraaneihin, joista kuulee yliolkaisesti sanottavan: "Eiväthän ne vanhat lääkärit enää tiedä, mitä nykyajan lääkärien tulisi tietää". Ja samanlaista uuden ihailua on lähes kaikilla aloilla, niin myöskin hengellisillä aloilla ja kirkoissa. Uutta nykymaailmassa on se monelle varmaan niin kovin odottamaton ilmiö, että kristityt ovat yrittäneet pyrkiä lähemmäksi toisiaan, elleivät niinkään uskon yhteyteen, niin ainakin rakkauden yhteyteen. Niinpä tämän kirjoittajakaan ei opiskeluvuosinaan koskaan tullut ajatelleeksikaan, että hän kerran tulisi ottamaan osaa kokouksiin, joihin ottivat osaa sekä luterilaiset että muut protestanttiset papit ja sen lisäksi katolilaisetkin papit, ja kuitenkin juuri sellaisenkin tapahtuman ja tapahtumien todistajana olen voinut olla. Tässä kristittyjen lähentymisyrityksessä toiset tietysti näkevät Jumalan käden johdatusta ja toiset päinvastoin paholaisen johdatusta. Kuitenkin ovat kaikki vakavimmatkin kristityt nyt jo ymmärtäneet, että mikään ryhmä, joka tahtoo olla Jumalan tahdolle kuuliainen, ei voi sulkeutua aivankuin ilmatiiviiseen kammioon ja eristäytymään ainoana oikeana kaikista muista. Niinpä, kun Suomen vieras Erkki Kurki-Suonio kesällä 1964 vieraili Amerikassa ja Kanadassa Suomi-Konferenssin seurakunnissa vieraana, niin hän, kirjoittaessaan sittemmin matkastaan *Kotimaa*-lehdessä, tunnustaa, että hän matkoillaan tapasi aivan erikoisiakin ilmiöitä. Kuitenkin, vaikka edustaakin läpeensä konservatiivista ajattelua, hänkin kuitenkin kieltäytyi nimenomaisesti lausumasta täysin kielteisiä mielipiteitä asioista, joita hän ei täysin tuntenut. Että eristäytyminen omaan ilmatiiviiseen osastoon muka ainoana oikeana ryhmänä ei voi olla terveellistä hengellisyyttä, se nähdään myöskin amerikkalaisen n.s. Missouri-Synodin luterilaisen kirkkokunnan viimeisimmistä vaiheista. Kaiken vanhan hylkääminen ja kaiken uuden omaksuminen lienevät kumpikin vaarallisia teitä. Kun mainitut Missouriluterilaiset alkoivat pahasti kirkkokuntana hajota ja rakoilla, niin m.m. Elson Ruff, *The Lutheran*-lehden päätoimittaja, lausui heistä (toimituskirjoituksessaan marrask. 1 p. 1961) näin: "Vähitellen hekin ovat pääsemässä itsetyytyväisyyden tilastaan. He huomaavat olevansa hyvin samanlaisia kuin me muutkin — joukko kristittyjä, jotka haluavat tulla tuntemaan totuuden sen koko täyteydessä, ja jotka, inhimillisinä olentoina, hekin ovat olleet harhaan johdettavissa."

Näin kaikessa olevaisuuden muuttumisessa ilmenee kaikkivaltiaan Jumalan suuri voima. Voisimme jatkaa loppumattomiin, kuinka mullistavia muutoksia on tapahtunut ihmiskunnassa sosiaalisella alalla ja yhteiskunnallisesti. Mutta erikoisesti voinemme lopuksi huomauttaa, että kaikkein ihanimpia Jumalan muuttamistöistä ovat kuitenkin ne työt, joiden kautta

Pastori Lauri Pikkusaari

Hän muuttaa ja pelastaa ihmisten sieluja täällä maailmassa, johdattaen ihmisiä uskon kautta pelastuksen kalliolle, Jeesukseen Kristukseen, joka on sama eilen ja tänään ja iankaikkisesti (Hebrealaiskirje 13: 8).

Evankeliumi — Jumalan voima

(Armas Korhonen)

"Minä en häpeä evankeliumia, sillä se on
Jumalan voima, itsekullekin uskovalle pe-
lastukseksi, juutalaiselle ensin, sitten myös
kreikkalaiselle." Room. 1: 16.

ASETTUKAAMME näitä apostoli Paavalin sanoja pa-
remmin ymmärtääksemme hänen asemaansa
ajankohtana, jolloin hän sanoi ne kirjeessään Roo-
man kristityille. Hänellä oli harras halu päästä Roo-
maan. Rukouksissaan hän anoi, että hän jo vihdoin-
kin, jos Jumala soi, pääsisi siellä olevain kristittyjen
luo. Hän sanoo: "Minä ikävöitsen teitä nähdä, voi-
dakseni antaa teille jonkun hengellisen lahjan, että
te vahvistuisitte, se on, että me yhdessä ollessamme
virkistyisimme yhteisestä uskostamme, teidän ja mi-
nun." Room. 1: 11, 12. Eikä tämä ollut vain tilapäi-
nen, pian ohimenevä toivomus, vaan se oli ollut hä-
nellä jo monta vuotta rukoustensa kohteena. Hän piti
kunnianaan olla julistamatta evankeliumia siellä,
missä Kristuksen nimi oli jo mainittu. Olipa hänen
hartaana halunaan jo monta vuotta ollut päästä heit-
tämään evankeliumi-verkkoa aina Hispaniaan, nyky-
iseen Espanjaan, saakka. Sillä matkalla hän kävisi
Roomassa ja sieltä sikäläiset uskonystävät auttaisivat
häntä eteenpäin. Room. 15: 23, 24. Hän oli kuiten-
kin ollut estetty pääsemästä Roomaan siihen ajankoh-
taan saakka, jolloin hän kirjoitti kirjeensä sikäläisille
kristityille.

Meille, jotka Jumalan armosta saamme elää järjestyneessä yhteiskunnassa, on ehkä vaikeaa käsittää, mitä Paavalille maksoi hänen harras ikävöimisensä päästä Roomaan. Ottakaamme huomioon, että Rooma ei suinkaan ollut maaseudun rauhallinen pikku kaupunki, kuten olivat monet muut paikat, joissa Paavali julisti evankeliumia, vaan se oli koko silloisen tunnetun maailman mahtava pääkaupunki, metropolis, ja että siellä hallitsi julma, verenhimoinen keisari Neero. Historia kertoo, että hän kristittyjä vainotessaan antoi noin vain huvikseen polttaa heitä puutarhoissaan paaluihin sidottuina, öljyllä valeltuina, ja raivatakseen tilaa suuremmoisille rakennussuunnitelmilleen hän antoi polttaa suuren osan pääkaupunkia. Ottakaamme tämän lisäksi huomioon, että Rooman asukkaitten mieluisena ajanvietteenä oli katsella verisiä näytelmiä jättiläismäisessä Colosseumissa, kun siellä esimerkiksi heitettiin Jeesukseen uskovia petojen raadeltaviksi.

Paavalilta vaadittiin siis suurta rohkeutta Roomaan menoa rukoushetkinään suunnitellessaan. Tuli varmaan mieleen ajatus, että ehkä hänet heitettäisiin siellä petojen eteen tai että pyöveli katkaiseisi hänen kaulansa. Hän sanookin: "Minä pelastuin jalopeurain kidasta." 2 Tim. 4:17. Mutta hän ei pelännyt mitään vaaroja, eikä hän pitänyt henkeänsä minkään arvoisena, kunhan vain sai täyttää juoksunsa ja sen viran, jonka hän oli saanut Herralta Jeesukselta. Ap. t. 20: 24. Hän tiesi, että "kaikki, jotka tahtovat elää jumalisesti Kristuksessa Jeesuksessa, joutuvat vainottaviksi." 2 Tim. 3: 12. Historia kertoo melkoisella varmuudella, että hän sai kuolla uskonsa tähden Roomassa. Viimeiset rivit, mitä meillä on hänen kynästään, ovat hänen toisessa kirjeessään Timoteukselle. Hän oli silloin Roomassa toisen kerran kahleissa, mutta Jumalan sana ei ollut kahlehdittu. Hän sanoo: "Minut jo uhrataan ja lähtöni aika on tullut." 2 Tim. 4: 6. Hän tuntee asemansa samanlaiseksi kuin uhrielukan, joka on valmis teurastettavaksi, pantavaksi alttarille ja siinä poltettavaksi. Taakseen katsoessaan hän tietää, että hän on "hyvän kilvoituksen kilvoitellut, juoksun täyttänyt, uskon säilyttänyt." Luodessaan katseensa eteenpäin välkkyy hänen henkensä silmien edessä ihana toivo: vanhurskauden seppele, jonka Herra on antava kaikille, jotka hänen ilmestymistään rakastavat. Alkuseurakunnan ajoilta säilyneen perimätiedon mukaan tämä toivo täyttyi, kun hänet mestattiin miekalla noin vuonna 67. Kuolema oli hänelle voitto, sillä silloin hän sai ottaa oman paikkansa suuressa valkopukuisessa joukossa Karitsan valtaistuimen edessä. Hänen kuolemansa ja hautansa kätkeytyy historian hämärään, kuten muinoin Mooseksen, mutta hänen työnsä elää. Vielä tänäkin päivänä miljoonat saavat siunausta elonsa polulle lukiessaan hänen kuolemattomia kirjeitään, joissa hän kirkastaa meille Jumalan armoa Kristuksessa Jeesuksessa. Tämä siunaus on tarjolla sinullekin, joka näitä rivejä luet. Avaa sille sydämesi.

Paavali ei siis Roomassakaan häpeäisi evankeliumia, hyvää sanomaa Jeesuksesta. Hänen toivonsa päästä sinne toteutui, mutta aivan toisella tavalla kuin mitä hän oli rukousvartioissaan suunnitellut. Jumala johdatti hänen tiensä sinne vankina, niinkuin Apostolien Tekojen loppuluvut kertovat ja häntä pidettiin siellä ahtaassa, kolkossa vankityrmässä. Mutta Jumala on kääntänyt hänen vankeutensa mitä suurimmaksi siunaukseksi jälkipolville, sillä lukemattomat ovat saaneet siunausta ja valoa hänen kirjeittensä kautta, joita hän kahleissa ollessaan kirjoitti seurakunnille eri paikkakunnilla — mekin olemme heidän joukossaan. Hän ei vankityrmässäkään hävennyt evankeliumia, vaan julisti sitä sekä sopivalla että sopimattomalla ajalla. Millä innolla hän kertoikaan Vapahatajasta sotilaille, jotka häntä vartioivat yötä ja päivää. Nämä taas veivät sanaa eteenpäin sinne, minne heidän tiensä johti. Niin oli keisarin hovissakin Jeesukseen uskovia. Fil. 4: 22. Näin tuli evankeliumi lukemattomille Jumalan voimaksi.

Kreikankielisessä alkutekstissä käyttää Paavali tässä kohdassa, joka on nyt tutkistelumme aiheena, Room. 1: 16, sanaa "dynamis". Se on suomenkieleen käännetty sanalla "voima". Sanasta "dynamis" tulee voimakasta räjähdysainetta merkitsevä sana "dynamiitti". Se särkee kovankin kallion. Jotain tällaista tahtoisin sisällyttää sanaan siitä, että evankeliumi on Jumalan voima. Jumala on antanut sen meille voimaksi jokapäiväiseen elämäämme. Tarvitsemme sitä joka hetki. Saamme siitä voimaa kestämään kiusauksissa. Saamme siitä myös voimaa vaeltaaksemme valon lapsina tämän kieron ja nurjan sukukunnan keskellä, joiden joukossa meidän pitäisi loistaa kuin tähdet maailmassa. Ilman evankeliumia olisi vaelluksemme yhtä pimeää kuin on niiden polku, joilla ei ole vielä ollenkaan sanan valoa. Ottaessamme vaarin Jumalan sanasta, joka on jalkaimme kynttilä ja valo tiellämme, saamme osamme siunauksesta, joka luvataan sanassa: "Vanhurskasten polku on kuin aamurusko, joka kirkastuu kirkastumistaan sydänpäivään saakka." Sananlaskut 4: 18.

Emmekö siis kiittäisi Jumalaa siitä, että meillä on suloinen sanoma Vapahtajastamme. Saakoon se olla meille voimana joka hetki!

Pyhän Johanneksen seurakunnan riemujuhla

(Viljo Puotinen)

TOUKOKUU 1964 oli merkkikuukausi Detroitin Pyhän Johanneksen seurakunnan historiassa. Silloin vietettiin seurakunnan 50-vuotisjuhlaa monella eri tavalla alkaen juhlajumalanpalveluksella ja Her-

Pyhän Johanneksen uuden kirkon vihkiminen v. 1961

ran pyhän ehtoollisen vietolla toukok. 3 pnä. Saman pyhäpäivän iltana näytettiin rainakuvia, elokuvia ja tavallisia valokuvia tämän viidenkymmenen vuoden ajalta. Mielenkiinnolla seurattiin, kun avattiin laatikko vanhan kirkon nurkkakivestä, johon oli edesmennyt sukupolvi tallettanut mm. Amerikan Suomettaren, Lasten Lehden, Paimen Sanomat, Nuorison Ystävän sekä seurakunnan historiikin ym. muistoja siltä ajalta.

Juhlimista jatkettiin äitienpäivä-konsertilla, jonka

tyttökuoro ja lastenkuoro esittivät mrs. V. Puotisen johdolla. Merkkikuukauden toimintaan kuului myös ripillepäästöjuhla ja uutten jäsenten vastaanotto. Lähetysaiheinen näytelmä esitettiin eräänä iltana seurakunnan miesten ja naisten yhdistysten toimesta ja nuorillakin oli heidän iltansa, jolloin sopivin ohjelmin juhlittiin. Riemujuhlien huippukohta oli toukok. 23 ja 24 päivinä. Lauantai-iltana oli juhla-illallinen, jossa puhujana esiintyi Michiganin synodin esimies tri Frank P. Madsen. Muut pappismiehet, jotka olivat läsnä, olivat tri Raymond W. Wargelin, tri Harry Wolf ja pastorit Eino Tuori ja Melvin Hagelberg. Tilava juhlasali oli täynnä väkeä omasta seurakunnasta ja sisarseurakunnista, kuten Bethlehem, Northwest Emmanuel ja Windsorin Pyhän Markuksen seurakunta. Seurakunnan entiset pastorit ja ne pastorit, jotka ovat Pyhän Johanneksen seurakunnan kasvatteja, olivat panneet tervehdyksensä nauhalle, joka soitettiin juhlan yhteydessä. Sen lisäksi ohjelmassa oli kaksinlaulua mrs. Hagelbergiltä ja mrs. V. Puotiselta mrs. E. Tuorin säestyksellä ja viulukappaleita taitavasti esitti mr. Matti Holli Windsorista. Sunnuntaina pidettiin kolme juhlajumalanpalvelusta, yksi niistä suomenkielellä, joissa voimakkaasti saarnasi tri Raymond W. Wargelin, entinen Suomi Synodin esimies ja nykyään kotilähetyksen aluejohtaja ja Suomi Konferensin esimies. Illalla vielä juhlittiin viettämällä musiikki-illan, jossa seurakunnan kirkkokuoro lauloi mr. Herbert Stiernan johdolla ja tyttökuoro ja lastenkuoro esittivät laulua sekä oli muutakin musikaalista ohjelmaa. Toukokuun lopulla vietettiin päätösjuhla ensiksi Luther Vista raamattuleirillä hautainkukituspäivänä ja kirkossa sunnuntaina, jolloin tri Harry Wolf, Lutheran Social Services toiminnanjohtaja, oli juhlapuhujana englanninkielisissä jumalanpalveluksissa ja seurakunnan maallikkovoimat pitivät huolen suomenkielisestä tilaisuudesta.

Pyhän Johanneksen seurakunnan kirkkoneuvosto

Seurakunnan historiasta lyhyesti mainittakoon, että Pyhän Johanneksen seurakunta perustettiin toukokuussa vuonna 1914, mutta hengellistä toimintaa oli olemassa jo ennen sitä pari vuotta tri John Wargelinin johtamana. Tri Wargelin kertoo näistä vaiheista eri kirjoituksessa tässä julkaisussa. Seurakunnan ensimmäinen kirkko sijaitsi Montville kadun varrella. Toinen kirkko rakennettiin 14th ja Buena Vista katujen kulmaukseen vuonna 1929 ja siinä seurakunta palveli Herraa kolmekymmentä vuotta. Vuonna 1959 tämä kirkko myytiin ja kokoonnuttiin väliaikaisesti vuokratussa kirkkorakennuksessa kunnes kesäkuussa 1961 saatiin muuttaa uuteen kirkkoon. Vihkimisen toimitti lokak. 15 pnä 1961 tri Raymond W. Wargelin muiden pastorien avustamana, kuten kuvasta nähdään. Vain viikko myöhemmin Suomen tasavallan presidentti ja rouva Urho Kekkonen ja heidän arvovaltainen seurueensa vierailivat Pyhän Johanneksen kirkossa ja osallistuivat suomenkieliseen jumalanpalvelukseen. Uudessa paikassa Redford Townshipissä, pari mailia länteen Detroitin kaupungin länsirajalta, Pyhän Johanneksen seurakunta on saanut kokea jatkuvaa kasvua. Seurakunnassa nykyään on noin 675 kastettua jäsentä ja 450 konfirmeerattua jäsentä. Seurakunnan omaisuuteen kuuluu, uuden kirkon ja seurakuntatalon lisäksi, pappila Detroitin kaupungissa ja kaunis raamattuleiri, Luther Vista, 45 mailin päässä Detroitista, lähellä Brightonia, Mich. Seurakunnan nykyinen paimen on pastori Viljo A. Puotinen, joka muutti Detroitiin perheensä kanssa helmikuussa 1958. Pastorit, jotka ovat seurakuntaa palvelleet, ovat Lauri R. Ahlman, Salomon Ilmonen, Emil Paananen, F. W. Kaskinen, M. K. Sallmen ja nykyinen opettaja.

Jumala on monella eri tavalla siunannut Pyhän Johanneksen seurakuntaa vuosikymmenien kuluessa ja hänen armoonsa luottaen tahdotaan jatkaa työtä julistaen Vapahtajamme Jeesuksen nimeä.

Monessenin 65. vuosijuhla

(Rodger N. Foltz)

JUMALAN armollisesta kädestä riippuvat Hänen seurakuntansa saavutukset. Saavutus on sekin, että Monessenin, Pa. entinen Suomi Synodin seurakunta, St. Luke's Evangelical Lutheran Church, on

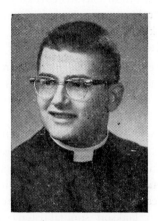

Pastori Rodger Foltz

saanut palvella Herraansa yli 65 vuotta. Kiitollisin ja nöyrin mielin seurakunnan jäsenet ja ystävät viettivät seurakunnan 65. vuosijuhlaa syyskuun 25—27 p:nä 1964. Juhlan tunnuslause oli "Rakennettu kalliolle." Juhlapuhujana oli entinen pastori, Robert Hetico.

Onkin tärkeä muistaa, että seurakunnan kulmakivi, seurakunnan perustuskallio, on elävä Kristus, joka jatkuvasti armolla ylläpitää ja paimentaa omiansa "keskellä aikojen pauhun." Seurakunta on Kristuksen seurakunta. Hän on meidän Herramme. Häntä me palvelemme, kiitämme ja ylistämme. Me teemme työtä, me uhraamme, me kylvämme Jumalan Sanan siemenen Hänen kunniaksensa ja sielujen pelastukseksi. Tämä onkin elävän seurakunnan tunnustus. St. Luke's seurakunta on elänyt 65 vuotta, palvellen Herraamme "keskellä aikojen pauhun." Kaikista saavutuksista kiitos Jumalalle.

St. Luke's seurakunnan perustamiseen vaikutti ratkaisevasti kaksi tapahtumaa, suomalaisten tulo Monongahela joen laaksoon ja Monessenin kaupungin perustaminen.

"Mon" laakson suomalainen asutus alkoi jo v. 1890 kun 10 suomalaista rautatietyöläistä asettui Charleroin kaupunkiin. Tästä pienestä alusta kasvoi niin suuri suomalainen siirtola, että kun Ohion, Pennsylvanian ja West Virginian suomalaisten historia kirjoitetaan, Mon laakson suomalaisten vaiheiden kertomus on oleva tärkeä osa siitä historiasta.

Muutaman kuukauden kuluessa tulonsa jälkeen suomalaiset etsivät muuta työmaata, sillä rautatietyö oli niin muuttuvaa. Pian löysivätkin ja asettuivat Tremontin hiilikaivokselle. Vaimot ja lapset, kun niitä oli, kutsuttiin Tremontiin ja jo v. 1893 oli alueella n. 100 suomalaista. Niiden elämä oli raakaa; paheet kasvoivat; yhteispyrintöjä ei ilmaantunut.

Pastori Kivioja kutsuttiin Tremontiin julistamaan Jumalan Sanaa v. 1895. Silloin oli suomalaisten lukumäärä n. 200. Pastorin toimesta perustettiin laakson ensimmäinen raittiusseura. Seuran toiminta lakkasi pian ja suomalaiset alkoivat hajaantua eri hiilikaivoskylille. V. 1898, kun Monessenin kaupunki perustettiin, suomalaisia oli Belle Vernonissa, Allenportissa, Vestassa, Gillespiessa, Brownsvillessä, Californiassa, Fayette Cityssä, Monongahelassa ja näiden kaupunkien välillä.

Monessenin kaupungin perustaminen oli välttämätön vaikutus St. Luke's seurakunnan perustamiseen. Vaikka oli satoja suomalaisia Mon laaksossa, ei suomalaisilla ollut ainoatakaan pysyvää "pesäpaikkaa." Hiilikaivostyö on ollut säännötöntä ja kaivostyöläiset ovat muuttaneet paikasta toiseen tai kärsineet puutetta ja työttömyyttä. Monessen muodostui suomalaiseksi pesäpaikaksi.

Monessen sijaitsee 30 mailia Pittsburghista eteläänpäin Monongahelan joen itärannalla, Westmoreland kauntissa. Westmoreland kauntissa on paljon hiiliä, kalkkikiveä, hiekkaa ja soraa — tärkeitä aineita terästehtaissa. Suuri Monongahela (intiaaninkielellä "korkeaäyräinen joki") joki virtaa West Virginian valtiosta pohjoiseen. Pittsburghissa tulevat yhteen Monongahela, Allegheny ja Ohio joet. Siis joki myöntää hyvät kulku- ja liikeyhteydet 15 eri valtioon. Ollen tietoiset Monessenin luonnon eduista, East Side Land Companyn, Pittsburgh and Lake Erie Railroadin ja terästeollisuuden johtajat päättivät perustaa kaupungin. Kaupungin nimi "Monessen" (Monongahela ja Essen—kuuluisa terästeollisuuden kaupunki Saksassa) oli ennustus kaupungin suunnitellusta tulevaisuudesta — siitä tulisi terästeollisuuden keskus. Ensimmäiset rakennukset rakennettiin v. 1897. V. 1898 Monessenin ensimmäiset suomalaiset työskentelivät tehtaissa. Samana vuonna perustettiin raittiusseura "Voiton Lippu." Pian kävi ilmi, että Monessenista muodostuisi suomalaisille pysyvä työpaikka ja sen vuoksi laakson suomalaisten keskus. Yhä enemmän suomalaisia asettui Monesseniin.

Monessenin suomalaiset ovat tulleet 98 eri Suomen pitäjästä. Monet ovat tulleet Kuhmosta ja Kärsämäeltä. Kuitenkin enemmistö on Vaasan läänistä, enimmäkseen Ylistarosta ja naapuripitäjistä. Siirtolaiset laakson eri kaivoskylistä, Suomesta ja eri valtioista suuntasivat askeleensa Monesseniin. V. 1907 oli jo 1000 suomalaista kaupungissa. Ehkä eniten on ollut 1200.

V. 1899, kun lupaava pysyväinen työpaikka ja suomalaisten keskus oli muodostumassa Monessenissa, perustettiin Monessenin ja Allenportin evankelis-luterilainen seurakunta syysk. 10 p. Perustava kokous pidettiin Allenportissa, mutta päätettiin laillistaa seurakunta Westmoreland kauntissa. Toinen kokous oli Monessenissa kesäk. 23 p. 1901, jolloin päätettiin rakentaa kirkko Reed Avenuelle. Uusi kirkko, jota pohjolan kansa oli odottanut ja kaivannut, oli valmiina v. 1902. Kirkon vihkimisen toimitti pastori Kaarlo Salovaara, apulaisinaan pastori Kallen ja Monessenin saksalainen pastori C. J. Waltner. Oli saarnoja pidetty suomen-, englannin- ja saksankielellä.

Suomalainen seurakunta oli Monessenin ensimmäinen luterilainen seurakunta. Saksalaiset perustivat lut. seurakuntansa huhtik. 15 p. 1900. Kuitenkin saksalaisilla oli oma vakituinen pastori ja oma pyhäkkö ennenkuin suomalaisilla. Saksalaisten Christ Lutheran Church ei enää toimi. St. Paul's Lutheran Church, Monessenin suurin lut. seurakunta jäsenlukuun nähden, oli perustettu 1903, jolloin kävi ilmi, että vaikka oli jo kaksi luterilaista seurakuntaa ja pastoria kaupungisas, oli 40 luterilaista perhettä, jotka eivät kuuluneet mihinkään seurakuntaan. St. Paul's Luth. Church yhtyi U.L.C.A. kirkkokuntaan ja nykyään kuuluu samaan synodiin kuin St. Luke's seurakunta.

Laakson suomalaisten seurakunnallinen toiminta ja hengellinen elämä virkistyi kun v. 1903 pastori Pekka Räsänen Suomesta tuli seurakunnan vakituiseksi papiksi. Ennen hänen tuloaan Ohion Suomi Synodin pastorit olivat hoitaneet seurakuntaa. Samana vuonna, 1903, rakennettiin pappila. Kirkko ja pappila tulivat maksamaan yli $7,000.00. V. 1904 sekä pastori Räsänen että seurakunta liittyivät Suomi Synodiin.

Pyhäkoulua pidettiin lapsille ennen seurakunnan perustamista jo v. 1898 Antti Hirsimäen talossa. Vuosien kuluessa tunnettiin pyhäkouluhuoneiden puute ja kokoushuoneen tarve. Jo v. 1913 oli 82 pyhäkoululasta. Oli 150 oppilasta vuosina 1915—1918 ja yli 100 oppilasta pyhäkoulussa vuoteen 1925 asti. Seurakunta päätti v. 1914 rakentaa pyhäkouluhaalin, mikä vihittiin pyhään tarkoitukseen, opettamaan pitämään kaikki mitä Jeesus on käskenyt, v. 1915. Haalin rakentaminen oli suuri edistyksen askel, sillä seurakunnan aliseuroilla on ollut vuodesta 1915 hyvä kokoushuone ja keittiökin.

V. 1924 tilattiin ensimmäiset piippu-urut. Samana vuonna amerikkalaistumisen vaikutus alkoi. Ei-suomalainen ilmoitti haluavansa liittyä seurakuntaan. Seurakunnan opettaja sai sekä seurakunnan että Suomi Synodin Konsistorin luvan ottaa hänet vastaan. Uusien jäsenien hankkiminen ja sen mukaan amerikkalaistuminen on tietysti ollut viimeisinä vuosina elintarve. Kiitos Jumalalle, että pieni alku tehtiin jo v. 1924.

Surullinen tapahtuma v. 1928 oli se, että rakastettu, Jumalan Sanan kuulemiseen vihitty pyhäkkö paloi sunnuntaina tammik. 29 p. Kansallisseura luovutti haalinsa (entinen raittiusseuran haali) seurakunnalle pyhäkoulua ja jumalanpalvelusta varten. Seurakunnan kokouksessa yksimielisesti päätettiin rakentaa uusi kirkko. Seurakuntalaiset tunsivat sydämissänsä virren sanojen käyvän toteen:

> Ajasta aikaan varjellut,
> Herra, oot kirkkoamme,
> Sanallas meitä ohjannut
> Kaikissa vaiheissamme.
> Vieläkin tahdot siunata
> Kansaasi köyhää armolla,
> Tarjota taivahan rauhaa.

Ja siunasi Jumala kansaansa vaikeuttakin salli-
malla. Oli pakko kääntyä Jumalan puoleen apua
etsimään ja uhrata. Kasvoikin kiinnostus seurakun-
nan tehtävään, Jumalan Sanan julistukseen ja sielu-
jen pelastukseen. Suurella ponnistuksella ja uhraa-
misella uusi kirkko rakennettiin. Seurakunnan nuo-
risoseura lahjoitti uudet piippu-urut. Vihkimysjuhlil-
la syysk. 21—23 p:nä 1928 oli yhdeksän Suomi Syno-
din pappia, mukaan luettuna seurakunnan oma poi-
ka, pastori Wilho Hänninen.

Suomi Synodin vuosikokous pidettiin Monessenissa
v. 1933. Julkaistiin 20-sivuinen juhlajulkaisu. Kuu-
luisa Louhi soittokunta ja suuri juhlakuoro esitti kon-
sertin. Kuitenkin edustajia oli vähän, 13 pappia ja
73 maallikkoa.

Voisimme kutsua seurakunnan ensimmäiset 45
vuotta suomalaiseksi vaiheeksi. Vuoden 1946 jälkeen
amerikkalaistuminen on kulkenut säännöllisesti ra-
taansa. Jo 1930 vuosikymmenellä alkoivat tässä maas-
sa syntyneet puhumaan englantia omissa kokouksis-
saan. Säännölliset englanninkieliset jumalanpalveluk-
set on pidetty vuodesta 1946. Nykyään on melkein
kaikki seurakunnan toiminta englanninkielellä. Om-
peluseuran kokouksissa suomenkieli on virallinen kie-
li. Suomenkieliset jumalanpalvelukset pidettiin sään-
nöllisesti vuoteen 1946. Nyt pidetään silloin tällöin.
Seurakunnan jäsenistä 13.2% ovat tulleet täysikasvui-
sina Suomesta. Niistä ainakin puolet voi ymmärtää
englantia. Siis viitaten C.I.P.'n sanoihin (K.K. 1960,
s. 158), täytyy sanoa: "Toivomusta seurak. suomalai-

sena säilyttämisestä ei voida täyttää. Luonnon lait ja tämän mahtavan Amerikan kehitys tukahuttaa sellaiset toiveet. Ja se kai lienee Jumalankin tahto." Kuitenkin, kunnioittaen suomalaisia vanhempiansa, nuoret tukevat suomalaista ompeluseuraa, järjestävät suomenkielisiä jumalanpalveluksia mikäli mahdollista ja käyvät katsomassa vanhoja. Seurakunta valitse itselleen uuden nimen, St. Luke's, v. 1947. Tämä uusi nimi laillistettiin valtion kirjoissa v. 1954.

Lukija voi löytää laajemman selostuksen Monessenin seurakunnan historiasta seuraavissa Kirkollisissa Kalentereissa: 1905 s. 63—69; 1916 s. 138—143; 1930 s. 134—146 1960 s. 155—159.

Viimeisten 20 vuoden aikana on seurakunta saanut paljon aikaan. Korjaus- ja edistystyötä on jatkuvasti tehty. Viimeisten viiden vuoden aikana on seurakunta käyttänyt n. $20,000.00 korjauksiin ja uudistuksiin kirkossa ja pappilassa. Tammikuussa 1964 seurakuntaväki uskalsi tilata uudet $10,000.00 maksavat piippu-urut, jotka asetetaan pyhäkköön v. 1965. Samassa kuussa seurakunta päätti ostaa $12,000.00 talon ja tontin, josta tehdään parkkauspaikka kun velkaa maksetaan. Seurakuntalaisten rakkaus ja usko Jumalaan tulee ilmi siinäkin, että v. 1961 ja 1962 he maksoivat täyden osansa Suomi Synodin budjettiin. Samoin v. 1963, vaikka yhdistyneessä kirkkokunnassa seurakunnan osa Synodin budjetista oli kaksi kertaa suurempi kuin v. 1962.

Jo v. 1962, kun Suomi Synod ja U.L.C.A. yhtyivät, St. Paul's Ev. Lutheran Churchin pastori ehdotti pai-

kallista yhtymistä, sillä molemmat Monessenin lut.
seurakunnat kuuluvat W. Pa.—W. Va. Synodiin,
L.C.A. St. Luke's seurakuntalaiset eivät hyväksyneet
tätä ehdotusta. He ajattelivat että kaupungissa, jossa
on 18,000 sielua, pitäisi olla kaksi lut. seurakuntaa
ja myöskin että seurakunnan olemassaolon syy ei hä-
viä suomenkielen häviämisellä.

Seuraavat pastorit ovat hoitaneet seurakuntaa:

K. Huotari, Ohiosta ....1899—1901
K. Salovaara, Ohiosta ....1901—1902
J. Kallen ,Ohiosta ....1902—1903
Pekka Räsänen ....1903—1907
Salomon Ilmonen ....1907—1909
Matti Luttinen ....1910—1913
F. Yrjö Joki ......1914—1916, 1918—1922
K. E. Salonen ....1916—1918
Amos Marin ....1923—1926
Evert Torkko ....1926—1931
Otto Mäki ....1932—1935
Yrjö Autio ....1936—1939
Vilho Ranta ....1939—1945
Oliver Hallberg ....1946—1947
Robert Hetico ....1947—1949
Eli Lepistö ....1949—1953
Karl Wilkman ....1954—1956
Matias N. Joensuu ....1957—1958
Rodger N. Foltz ....1960—1963
Daniel E. Saarinen ....1964—

Väliaikaisesti ovat pastorit N. Korhonen (1914),
kun pastori Joki kävi koulua Hancockissa) ja R. N.

Foltz (1963—1964) hoitaneet seurakuntaa. 1964 oli
riemuvuosi myös sen vuoksi, että seurakunta sai opet-
tajan virkaan suomalaisen pastorin, Daniel E. Saari-
sen. Hän on "suomenmielinen" ja tahtoo suomalai-
sia palvella.

V. 1905 oli seurakunnalla pastorin raportin mu-
kaan 830 kastettua jäsentä. Tämä numero on epäi-
lyksen alainen. Ehkä ensimmäiset papit yliarvioi jä-
senten luvun, ajatellen että kaikki alueen suomalai-
set luonnollisesti kuuluivat seurakuntaan. Kuitenkin
kävi pian ilmi, etteivät kaikki tahtoneet liittyä, ja v.
1915 pastorin raportin mukaan oli seurakunnalla 355
jäsentä, v. 1925 oli 239, v. 1935 193, v. 1945 174, v.
1955 295. Nykyään seurakuntaan kuuluu 212 jäsentä.

Seurakunnan pyhäkoulu on toiminut v:sta 1898.
Kaksi seurakunnan poikaa on lukenut papiksi, Vilho
Hänninen, entinen Suomi Synodin pastori (k. 1948)
ja Oliver Rajala, L.C.A. Ohio Synodin pastori. Moni
ihminen on vastaanottanut Herran kutsun ja seu-
rannut Häntä. Jumala on siunannut runsaasti seu-
rakunnan sanan kylvöä.

Ompeluseura on toiminut v:sta 1899. Miehillä
on ollut erilaisia seuroja; nykyinen veljeysseura pe-
rustettiin v. 1945. The Women of St. Luke's seura
on toiminut v:sta 1933, jolloin Bethel Sisters perus-
tettiin. Nuorisoseura perustettiin 1914, alkaen toimia
Luther League'n nimellä 1930-luvulla. Seurakunnan
kaksikielinen kuukausilehti, *The Voice of St. Luke's,*
alkoi ilmestyä v. 1957. Tämä hartaus- ja uutislehti
lähetetään yhtä paljon ei-jäsenille kuin seurakunnan

jäsenille. Kaikki aliseurat ovat tehneet jaloa työtä seurakunnan hyväksi ja Jumalan kunniaksi.

Musiikkiharrastus ja innostus on ollut aina kiitettävä Monessenissa, sillä Monessen oli kuuluisan "Louhi" soittokunnan koti. Louhi oli aikanaan ehkä paras Amerikan suomalaisten soittokunnista. On ollut eri kuoroja ja tavallista enemmän solisteja ja urkureja jumalanpalvelusta ja ohjelmaa auttamassa.

Monessenin seurakunnalla on paljon josta kiittää Jumlaa. Seurakuntalaiset eivät olleet odottaneet Herransa tuloa palvelematta Häntä. Tämän seurakunnan kautta on Jumala siunannut, armollansa hoitanut ja avullansa auttanut satoja sieluja. Moni on jo saanut iäisen leponsa. Jatkuvasti tämä Herraa rakastava kansa rukoilee, etttä Jumala johtaisi, varjelisi ja siunaisi kaikkia niitä, joiden kanssa tällä seurakunnalla, sen pastorilla ja jäsenillä on tekemistä. Kauan eläköön Jumalan Sanan elävä profeetallinen julistus seurakunnan keskuudessa. Olkoon seurakunta jatkuvasti rakennettu kalliolle, Kristukselle, siihen asti kuin Hän tulee.

> Kirkkoon kun kellot kutsuvat,
> Suo sinne tiemme johtaa,
> Suo, että kasvos armahat
> Kansasi siellä kohtaa.
> Veisata anna kiitostas,

Kun pyhä ristinkuolemas
Tuonut on autuuden toivo.

Tänne, kuin äidin armaan luo,
Johdata, Herra, meitä.
Sun pyhä armos meille suo.
Meidät sun suojaas peitä.
Suo pyhän kirkkos ainiaan
Kutsuas viedä maailmaan
Keskellä aikojen pauhun.

(214: 3—4, K.V.K.)

Vanhan pappismiehen muistelmia

II. Seurakuntamme alku Detroitissa

(Jatkoa v. 1963 Kirkollisessa Kalenterissa julkaistuun
samanaiheiseen kirjoitukseen.)

(Kirj. J. Wargelin)

DETROITISSA lienee ollut jokunen määrä suoma-
laisia jo ennen v. 1912, mutta heillä ei ollut mi-
tään järjestynyttä seuraelämää vielä silloin. Vuotta
1913 voidaan pitää suomalaisten joukko-siirtymisen
alkuvuotena Detroitiin. Siihen oli syynä ensinnäkin
automobiiliteollisuuden nopea nouseminen juuri tä-
hän aikaan. Toisena vaikuttimena oli Kuparialueen
mullistava lakko, joka aiheutti satojen jopa tuhan-
sien kaivosmiesten joutumisen työttömiksi. Satoja
asettui silloin maanviljelijöiksi Houghton kauntin
uutisseuduille, mutta suurempi määrä siirtyi työsken-
telemään Detroitin autotehtaissa, joissa he olivatkin
haluttuja työmiehiä. Toisia siirtyi sinne East Tawak-
sesta ja varsinkin useilta Ylä-Michiganin kaivosseu-
duilta.

Suomalaisilla ei ollut mitään kirkollista toimintaa
Detroitissa vielä silloin. Vaikka siellä oli useita en-
tisiä Suomi-Synodin jäseniä, ei kirkollisen toimintam-
me alku kuitenkaan lähtenyt heistä, vaan toisaalta.
Kerromme nyt näistä alkuvaiheista.

Kevättalvella vv. 1913 Missouri-Synodiin kuuluva
pappi, nimeltä E. C. Falckler, kirjoitti kirjeen osoit-
teella: "To a Finnish Lutheran minister, Hancock,

Michigan." (Suomalaiselle luterilaiselle papille, Hancock, Mich.) Hän oli tutustunut joihinkin suomalaisiin Detroitissa, joilta hän sai kuulla, että Hancockissa oli suomalaisia pappeja, mutta nämä tiedonantajat joko eivät tunteneet tai eivät tahtoneet ilmoittaa kenenkään papin nimeä. Tämän arveluni perustan siihen, että kun myöhemmin tutustuin näihin ihmisiin pastori Falckerin opastamana, opin tietämään, että he olivat sosialisteja, Työmies-lehden lukijoita.

Postinkantaja toi kirjeen toht. J. K. Nikanderille, joka lähetti sen tämän kirjoittajalle Republiciin, jossa silloin hoidin sikäläistä seurakuntaa. Hoidossani oli silloin myös Kalevan, Jenningsin ja East Tawaksen seurakunnat, joissa kävin kerran kuukaudessa. Saatuani kirjeen ryhdyin kirjeenvaihtoon pastori Falckerin kanssa. Sovittiin ajasta, jolloin saapuisin Detroitiin. Ensimmäinen jumalanpalvelus pidettiin huhtikuulla v. 1913 Missouri-Synodin kirkossa, joka sijaitsi 16. ja Antoinette katujen kulmassa. Kansaa saapui kirkkoon runsaasti, niiden joukossa useita entisiä kuparisaarelaisia, joita tunsin, esim. Peter Mattson (maalri-Mattson), jonka kodissa majailin, Isak Pyykkö ja entisiä East Tawaksen seurakunnan jäseniä kuten mrs. Sofia Sederström perheineen ja hänen veljensä mr. Larson. Hän oli vanhimpia Detroitin suomalaisia, joka kuoli muutama vuosi sitten lähes sadan vuoden ikäisenä. En yritä muistella muita nimiä, ettei epähuomiossa jäisi joku sellainen nimi pois, joka olisi mainittava.

Seurakunnan perustava kokous ilmoitettiin seuraavaksi kerraksi ja sovittiin, että tulisin käymään Detroitissa kerran kuukaudessa.

Seurakunnan perustava kokous

pidettiin toukokuulla v. 1913 ylempänä mainitussa Missouri-Synodin kirkossa. Tämän kirkkokunnan taholta oli kiinnitetty erikoista huomiota suomalaisen seurakunnan perustamiseen Detroitissa. Kokouksessa oli saapuvilla viisi Missouri-Synodin pappia, niiden joukossa eräs Klemmer-niminen eestiläinen pappi Texasin valtiosta, joka taisi suomea ja oli varta vasten kutsuttu kokoukseen. Ennen kokousta minulle oli järjestetty neuvottelu teologisista opinkappaleista pastori Klemmerin kanssa. Keskustelu sujui tyydyttävästi pastori Klemmerin mielestä, sillä hän ilmoitti toisille virkaveljilleen, että olin oikea luterilainen.

Kokous alkoi kirjoittajan johtaessa kokousta. Saapuvilla oli runsaasti suomalaisia osanottajia. Yksimielisesti päätettiin perustaa seurakunta. Mutta kun otettiin esille kysymys liittymisestä Suomi-Synodiin, Missouri-Synodin papit käyttivät useita puheenvuoroja, joissa he lausuivat, ettei kokous ollut vielä valmis ratkaisemaan liittymistä mihinkään kirkkokuntaan, joten tämä kysymys olisi siirrettävä tuonnemmaksi. Pastori Klemmer tulkitsi kaikki puheenvuorot englanninkielellä, sillä kokousta johdettiin suomenkielellä. Mutta heille vastattiin, että kokouksen osanottajat olivat entisiä Suomi-Synodin seurakuntien jäseniä, puheenjohtajakin ollen Suomi-Synodin Konsistorin jäsen. Äänestyksessä päätettiin anoa liittymistä

Suomi-Synodiin. Seurauksena tästä oli, ettemme enää saaneet käyttää tätä kirkkoa jumalanpalveluksia varten.

Kun nyt ajattelen näitä asioita viidenkymmenen vuoden perästä, niin näen Jumalan johdatuksen asiain kulussa. Hän käytti Missouri-Synodia välikappaleenaan suomalaisen luterilaisen kirkollisen työn alkamiseen Detroitissa. Mutta tämän kirkkokunnan kanta oli silloin niin jyrkkä, etteivät he voineet suvaita mitään muuta kirkkokuntaa rinnallaan.

Historiallisena tosiasiana kuitenkin säilyy, että suomalainen luterilainen kirkollinen toiminta Detroitissa sai alkunsa Missouri-Synodin alotteesta.

Ylempänä on jo mainittu, että jatkoin käyntejäni Detroitiin, samoin kuin toisiinkin Ala-Michiganin seurakuntiin vielä kahden vuoden ajan. Jumalanpalvelukset pidettiin nyt eri kokoushuoneissa. Perustettiin pyhäkoulu, jonka opettajistoon tarjoutui m.m. muutamia suomalaisia metodistisaarnaajia, jotka olivat siirtyneet sinne Ylä-Michiganista ja työskentelivät autotehtaissa. Kun pyhäkoululla ei ollut varsinaista kokouspaikkaa, saivat nämä saarnaajat käytettäväkseen Metodisti kirkon. Sen käytöstä kuitenkin luovuttiin pian, sillä tahdoimme kasvattaa lapsemme luterilaisina.

Yhteistoiminta toisten kristittyjen kesken olisi ihanteellista vieläpä raamatullistakin, jos toiminta voisi olla yhteisen uskon, hengen ja opin pohjalla, mutta niin kauan kuin he ovat erimielisiä näissä kohdissa, toimivat he puolueellisesti oman suuntansa hyväksi.

Tämä kokemus astui nuoren seurakunnan eteen toisessakin kokemuksessa, nimittäin ompeluseuran toiminnassa. Se perustettiin pian taloudelliseksi tueksi seurakunnalle. Kun suomalaisia seuraelämän muotoja puuttui vielä tällöin Detroitissa, liittyi sen työtä kannattamaan muitakin paitsi seurakunnan jäseniä. Jonkun ajan kuluttua uskonnollisten erimielisyyksien vuoksi ompeluseuran varat oli jaettava laestadiolaisten kanssa. Näitä seikkoja emme mainitse tuomitaksemme ketään, vaan osoittaaksemme että läheinen yhteistyö eri ryhmiin kuuluvien kristittyjen kesken, oli se pyhäkoulutyössä tai ompeluseurojen toiminnassa tai yhteisten kirkkojen rakentamisessa on vähitellen osoittautunut epäkäytännölliseksi. Tästä on olemassa useita esimerkkejä eri paikkakunnilta.

Pastori Lauri Ahlman seuraava pappi

Tilapäinen seurakunnan hoito jatkuvasti ei olisi ollut eduksi seurakunnalle itselleen eikä myöskään mahdollinen opettajalle, jonka hoidossa jo ennestään oli useita seurakuntia. Siksi esitin, että seurakunta kutsuisi itselleen vakinaisen, paikkakunnalla asuvan papin. Kirkkoa ei ollut, eikä pappilaa ja muutenkin seurakunta oli vielä pieni ja heikko. Uskaltaisiko kukaan kirkkokuntamme pappi ottaa vastaan kutsua tällaiseen seurakuntaan? Kotilähetystoimintakin, joka myöhemmin on avustanut vast'alkavia seurakuntapiirejä, oli aivan järjestymätön. Pastori Lauri Ahlman kuitenkin rohkeni ottaa vastaan seurakunnan kutsun ja siirtyi asumaan Detroitiin perheensä kanssa.

Seurakunta sai nyt johtajan työlleen. Kirkonmenoja pidettiin säännöllisesti joka sunnuntai, pyhäkoulutyö ja muu toiminta vaurastui. Mutta seurakunnan tarjoama palkka oli aivan riittämätön pastorin ja hänen perheensä elatukseen, joten hän ryhtyi työhön Fordin autotehtaassa ja samalla hoiti seurakuntaa. Hän jatkoi työtä Fordin tehtaassa parisen vuoden ajan, kunnes hän otti vastaan kutsun Newberryn seurakuntapiirin palvelukseen.

Pastori Ahlmanin uhrautuva ja uskollinen työ Detroitissa, alkeellisissa olosuhteissa, ansaitsee kaikkien tunnustuksen ynnä kiitollisuuden. Hänen pitkäaikainen palveluksensa kirkkokunnassamme, sen eri luottamustehtävissä, konsistorin jäsenenä, Suomi-Opiston johtokunnassa ynnä muissa toimissa ovat erikoisen muistelemisen arvoisia.

Pastori Salomon Ilmonen kolmas pappi

Pastori S. Ilmonen tuli past. Ahlmanin seuraajaksi. Ei seurakunnalla ollut vieläkään kirkkoa eikä pappilaa. Mutta seurakunta oli järjestyneempi edellisten työntekijäin ansiosta. Pastorin veljen Oskarin (joka oli yksinäinen) omistama talo tuli olemaan pappilana. Seurakunta ryhtyi puuhaamaan kirkkoa, joka valmistuikin, ja vihittiin pyhään tarkoitukseensa kevättalvella v. 1923. Tämän kirjoittaja toimi esimies toht. A. Haapasen pyynnöstä vihkijänä. Pastori Ilmosen aikana seurakunta kulki hiljalleen eteenpäin sekä sisäisen kasvamisen että ulkonaisen vaurastumisen tietä.

Tämä seurakunta, jonka alkuvaiheista tässä on kerrottu, on ollut äitinä kaikille kolmelle entiseen Suomi-Synodiin kuuluvalle seurakunnalle Detroitissa. Ensimmäinen seurakunta otti myöhemmin nimekseen St. John's seurakunta. Siitä eronnut ryhmä perusti Bethlehemin seurakunnan. Ja Northwest Immanuel seurakunta syntyi Bethlehemin seurakunnan alotteesta.

Elämä on vaihtelevaa. Muutoksia tapahtuu. Mutta kaikkien muutosten keskellä Jumala ohjaa valtakuntansa tulemista ihmisten keskuuteen. Jumalan sana, kallis Kristuksen evankeliumi, ei koskaan häviä. Sen vaikutuksesta ja voimasta nämäkin seurakunnat Detroitissa ovat syntyneet ja elävät.

"Ja hän (Jumala) *antoi muutamat apostoleiksi, toiset profeetoiksi, toiset evankelistoiksi, toiset paimeniksi ja opettajiksi, tehdäkseen pyhät täysin valmiiksi palveluksen työhön",* Kristuksen ruumiin rakentamiseen. (Efes. 4: 11 ja 12.)

Suomenkieliset leiripäivät
Minnesotan alueella

(A. E. Rajanen)

"Kuinka ihanat ovat sinun asuinsijasi,
Herra Sebaot!
Minun sieluni ikävöitsee ja halajaa
Herran esikartanoihin,
minun sydämeni ja ruumiini pyrkii
riemuiten
elävää Jumalaa kohti." Ps. 84: 2—4.

NYKYÄÄN eletään maailmassa kiireitten keskellä,
kiireitten aikaa. Jos mihin luomme katsauksemme tänä aikana, niin kaikkialla näemme vain kiirettä ja kiirehtimistä, eletään siis hermostuneisuuden
aikaa. Näin eivät asiat aina ole olleet ja sittenkin
ihmiset ehtivät paremmin päämääriinsä ja vielä jäi
aikaa lepoon ja itsetutkistelemiseen. Ennen kaikkea
jäi aikaa pyhän sanan tutkisteluun kotona, perhepiireissä ja seurapiireissä.

Tuosta aikamme ainaisesta kiireestä on johtunut,
että on järjestetty aikamme kansalle erikoisia raamattuleirejä, joissa Herran kansa saa ja on saanut kokoontua hiljaisuudessa pyhän sanan ääreen yhdessä
sitä lukemaan ja tutkistelemaan ja siitä matkaevästä
elämän matkalle saamaan. Nämä leiripäivät ovat
saaneet olla elämän matkan virvoittajana ja matkaeväänä suomenkielisen Herran kansan tukena entisen
Suomi-Synodimme piirissä Minnesotan alueella jo 34
vuotta, joka lienee ollutkin ensimmäinen suomenkielinen raamattuleiri entisen kirkkokuntamme pii-

rissä, jonka toimeenpanevana alustajana oli pastori
Antti Lepistö. Suuren suuri ei leirijoukko alussa ol-
lut, mutta monet siunaukset siitä varmaankin on
leiriläisille koitunut, joista monet vieläkin ehkä ovat
joukossamme.

Suomenkielinen raamattuleirityö on alueellamme
jatkuvasti toiminut, jonka alustajana ja hoivaajana
oli entinen Minnesotan konferenssin vuosikymmeniä
ja nyt viime vuosina alueemme Suomi konferenssi.

Omaa leiripaikkaa ei kirkkokunnallamme ollut,
mutta olemme olleet siinä onnellisessa asemassa, että
olemme voineet vuokrata Camp Geo. E. Sigel-leiriä,
joka on lähellä Gilbertiä, Minn., joka on niin sopiva
ja rauhallinen paikka juuri tähän tarkoitukseen.
Leiriä on pidetty yksi viikko joka kesä, jossa on osan-
otto jatkuvasti lisääntynyt. Aivan näinä viime vuosi-
na olemme saavuttaneet ennätyksellisen saavutuksen
osallistuneitten lukuun nähden. V. 1964 leiri oli hei-
näkuun viimeisellä viikolla, jossa taasenkin oli suuri
joukko leiriläisiä ja saivat siellä viettää keidas-het-
kiä Herran sanan ääressä, jossa taasen niin monet
papit väsymättä olivat opettajina.

Leirin johdossa jo useana vuotena ovat olleet past.
Alex Wm. Koski ja mr. Jack V. Anderson, jotka ovat
sitä suurella siunauksella ja rakkaudella johtaneet.

Suurin ja tärkein asia kuitenkin leirityössämmekin
on se, että monet saisivat senkin työn kautta päästä
omakohtaiseen armon omistukseen, että monet sydä-
mestään psalmistan kanssa joutuisivat sanomaan:
"Minun sieluni ikävöitsee ja halajaa Herran esikar-

tanoihin". Kun tuo asia tulee meille tärkeäksi ja omakohtaisesti selväksi, niin silloinhan ei Pyhä kirja saa kodissamme tomuuntua, sillä sitä silloin luetaan kakien kiireenkin valtaamassa elämässämme matkaevääksi.

Raamattuleirillämme on ollut luennoitsijoita, paitsi paikallisia oman kirkkokuntamme pappeja, myöskin Suomesta ja Kanadasta, joten monen suun kautta on siellä Sanaa julistettu noina monina vuosikymmeninä. Toivomme olisi, että ei yhdeltäkään olisi jäänyt tietämättömyyteen, miksi Karitsa on kuollut ristillä.

Minnesotan alueen Suomi-konferenssissa on runsaasti kiinnostusta ja intoa Sanan julistamiseen suomenkielellä, sillä jokseenkin säännöllisesti on pidetty myöskin n.s. Sana- ja Sävel-juhlia alueellamme, joihin on aina kokoontunut kirkontäyteinen kuulijakunta, missä ikinä niitä onkin pidetty. Siis jatkukoon Herran työ suomenkielelläkin niin kauan, kun siihen on oloissamme tarvetta ja kaipausta.

Vapahtajamme viimeinen tahto

(Alpo Setälä)

"Isä, minä tahdon, että missä minä olen, siellä nekin, jotka olet minulle antanut, olisivat minun kanssani, jotta näkisivät minun kirkkauteni!" Joh. 17: 24.

Pastori Alpo Setälä

YLLÄ OLEVISSA sanoissa ilmenee Jeesuksen viimeinen tahto, sanoisimmeko: hänen testamenttinsa. Nuo sanat ovat Jeesuksen ylimmäispapillisen rukouksen viimeisiä sanoja. Ajasta iäisyyteen siirtyvän ihmisen viimeistä tahtoa pidetään yleensä suuressa arvossa. Ja varsinkin, jos hänen viimeinen tahtonsa jälkeenjääneille oli kirjoitetussa muodossa, testamenttina, niin se astui heti voimaan hänen kuolemansa tapahduttua. Testamenttia ei voida rikkoa.

Mikä olikaan siis Jeesuksen viimeinen tahto, hänen testamenttinsa? Se oli tämä: "Minä tahdon, että missä minä olen, siellä nekin, jotka olet minulle antanut, olisivat minun kanssani!"

Useimmilla ihmislapsilla olisi halu päästä taivaaseen, siellä olisi hyvä olla, ei helvettiin, siellä olisi paha olla. Mutta uskottomilla ihmisillä ei varmaankaan ole halua päästä taivaaseen sentähden, että siellä on Jeesus. Mistä sen tiedämme? No siitä, kun he eivät tämänkään elämän aikana viihdy Jeesuksen seurassa, kuinka sitten siellä iäisyydessä. Jos milloin sattuvat tulemaan sellaiseen kokoussaliin, missä Jeesuksesta puhutaan ja häntä lauluilla ylistetään, niin he pian rupeavat katsomaan, missä on ovi, josta pääsisi ulos.

Entä sinä, lukijani? Tahtoisitko sinä päästä taivaaseen, vaiko päästä sinne, missä Jeesus on?

Tämän viimeisen tahtonsa ja testamenttinsa täytäntön-panijaksi Jeesus määrää Isänsä. Kenelle muulle sellaista tehtävää voisikaan uskoa? Isä oli hänelle antanutkin "pakanat perinnöksi ja maailman ääret omiksi". Ne hän kalliisti verellänsä lunasti, sillä hän oli antanut "itsensä lunastuksen hinnaksi kaikkien edestä". Ja näitä lunastamiansa hän nyt tahtoisi tykönsä saada täällä ja taivaassa iankaikkisesti.

Taivaallinen Isä tekee kaikkensa Jeesuksen viimeistä tahtoa toteuttaaksensa. Hän kutsuu ja kehoittaa, vetää ja taivuttaa ihmislasta evankeliumin sanan ja monenlaisten elämän kohtaloiden kautta. Ei näet "kukaan tule Pojan tykö, ellei Isä vedä häntä". Eivätkä kaikki edes sittenkään. Ihmiseen voidaan lujastikin tarttua käsiksi: "vaadi heitä sisälle tulemaan". Mutta aivan pakkoon asti Herra ei sentään mene. Ihmisen täytyy itse vapaaehtoisesti saada ratkaista: tullako Jeesuksen tykö vai ei.

Eräs rikas mies mielistyi köyhään maalaistyttöön ja tahtoi saada hänet vaimokseen. Tyttö ei olisi halunnut. Mutta käytettiin puolittain pakkoa. Ja niin hänestä tuli kuin tulikin tuon rikkaan kodin emäntä. Mies teki kaikkensa vaimonsa viihtymiseksi. Kyläläiset ihastelivat ja onnittelivat, kun tyttö pääsi niin rikkaisiin naimisiin. Mutta hänet itsensä nähtiin usein alakuloisena, silmät kyynelissä. Uusi seura oli hänelle vallan vierasta. Hän ei ollut sellaiseen tottunut eikä kasvanut. Ja kaikki muukin tuntui kylmältä ja mieltä masentavalta. Hän ei ollut tullut tähän kotiin rakkaudesta miestänsä kohtaan.

Samoin, jos ihminenkin pakolla vietäisiin taivaaseen, ei hänellä siellä olisi hyvä olla. Autuaitten ja pyhien seura olisi vallan vierasta hänelle. Enkelien kiitosvirret ja lunastettujen ylistyslaulut tuntuisivat hänestä kovin vastenmielisiltä, ne aivan raivostuttaisivat häntä. Jumalan ja Karitsan läsnäoloa hän ei voisi sietää. Tuntuisi perin kiusalliselta olo Jumalan ja hänen pyhiensä parissa. Jos taivaan ovi aukenisi, olisi hän valmis heti syöksymään siitä ulos.

Se on näet Jeesus, joka taivaan taivaaksi tekee. Jos

sieltä poistuisi Jeesus, niin taivas ei enää uskovalle Jumalan lapselle taivas olisi. Se Jeesus, Jumalan Karitsa, joka meitä on rakastanut ja verellänsä meidät synneistämme päästänyt, on pelastetuille kaikki kaikessa. Häntä he rakastavat. Hänen kirkkautensa näkeminen, hänen kirkastettujen kasvojensa katseleminen on heille suurinta autuutta. Taivas tuntuu taivaalta sentähden, että siellä on Jeesus, ja että he itse saavat olla siellä, missä Jeesus on. Luther on itsestään lausunut, että kun hän saapuu taivaaseen, niin hän ei ensimmäisenä tuhatvuotena tahdo mitään muuta kuin katsella Jeesusta. Silloin on kaikille Herran omille, kuten apostoli Paavalillekin, täysin täyttyvä se rukous ja toivomus, minkä hän on ilmaissut näillä sanoilla: "Minä halajan täältä eritä ja olla Kristuksen kanssa, sillä se olisi monin verroin parempi."

Ystäväni! Onko taivaallinen Isä saanut sinutkin vedetyksi Jeesuksen tykö? Onko sydämesi vilpitön tunnustus tämä: "Minä elän, en enää minä, vaan Kristus elää minussa; ja minkä nyt elän lihassa, sen elän Jumalan Pojan uskossa, hänen, joka on rakastanut minua ja antanut itsensä minun edestäni." Silloin on varmaan harras rukouksesi ja toivomuksesi saada olla siellä, missä Jeesus on. Se on Jeesuksenkin viimeinen tahto, hänen testamenttinsa, kaikkia hänen omiansa, hänen uskossaan eläviä varten.

Suomi Konferenssi
Lake Erie alueella v. 1963-1964

(E. O. Rankinen)

TOIMINTAVUODEN ensimmäinen juhla ja kokous oli Camp Lutherilla heinäkuun 14 p:nä 1963, ja neiti Helmi Ryti oli juhlapuhujana. Jumalanpalvelus- ja juhlavieraita oli arvioinnin mukaan yli 200. Konferenssi lahjoitti Camp Lutherille $350.00, jolla täysin renoveerattiin sen sauna. Alueella ylpeiltiin siitä, että Conneautin veljeysseura järjesti varatulla linjurilla matkan Wakefieldissä Mich. pidettyyn Suomi-Konferenssin kokoukseen kesäkuulla, johon osallistui matkustajia paikallisten lisäksi Eriestä, Ashtabulasta, Warrenista, Fairportista ja Clevelandista. Konferenssin suomenkielinen raamattuleiri oli heinäkuun 14—20 päivään ja siihen osallistui 72 rekisteerattua ja paljon iltavieraita sen lisäksi.

L.E. konferenssin syysjuhla pidettiin uskonpuhdistus-sunnuntaina, lokakuun 27 p:nä, Pyhän Markuksen kirkossa Warrenissa ja puhujina olivat tri Roland C. Matthies ja teol. ylioppilas Pellervo Heinilä. Seurakuntaväki ja vieraat täyttivät kirkon, kun taaskin conneautilaiset, erieläiset ja ashtabulalaiset tulivat vuokralinjurilla juhlaan. Juhlan aikana tehtiin valmistuksia seuraavan kesän Fairportissa pidettävään Suomi Konferenssin juhlaan.

Fairportin Zion seurakunta oli kutsunut Amerikkaa ja Kanadaa käsittävän Suomi Konferenssin juhlan sinne kesäkuun 19, 20 ja 21 päiviksi v. 1964. Fairportin useat juhlakomiteat pitivät monta kokousta ja alueen toimeenpaneva komitea osallistui heidän kanssaan suunnitteluihin helmikuulla. Niinpä seurasi erittäin onnistunut juhla Fairportissa, josta kerrottakoon muualla tässä kirjassa.

Suomenkielinen raamattuleiriviikko Camp Lutherilla alkoi heinäkuun 19 p:nä 1964 ja 55 aikuista ja 9 lasta kirjoittautui mukaan. Pastori ja mrs. John F. Saarinen palvelivat johtajina ja heitä avustivat ympäristön pastorit ja maallikot. Raamattuleiriviikko aloitettiin suurella konferenssin kesäjuhlalla sunnuntaina, aamujumalanpalvelus ja iltapäiväohjelma hengen ravinnoksi ja juhlapäivällinen ruokailusalissa. Kansaa oli ainakin 300 mukana päivän varrella.

Kirjoittaja on kysymyskaavakkeilla tiedustellut alueen seurakuntien ja pappien toiminnasta, joista luettelo on tämän Kalenterin lopussa. Vastauksissa huomioidaan seuraavista tapahtumista:

Gethsemane seurakunta, Cleveland, Ohio

Kuusikymmenvuotisessa seurakunnassa on paljon väsymystä, mutta myöskin intoa. Neljä nuorta voittivat National Honor Societyn kunnian ja Barbara Stenross ansaitsi paikan Springfieldin symphoniassa. Neljä vanhusta kutsuttiin pois kuoleman kautta, mutta monet juhlatradiot jatkuvat, kuten "pikku joulun" vietto. Kirkkoon saatiin lahja-piano ja alumiininen ulkoseinä "siding". Suomalaiset vähemmän kiintyvät LCA kirkkoon ja tuntevat lämpöä Suomi Konferenssiin. Yhdeksän suomalaista vieraili vuoden varrella Suomessa. Seurakunta on nykyisin papiton.

Good Shepherd seurakunta, Conneaut, Ohio

Pastori Armas L. Mäki aloitti tehtävänsä joulu-
kuussa v. 1963 ja palvelus jatkuu kaksikielisenä, suomi
ja englanti rinnakkain. Vaikka noin 20 suomalaista
on kuollut vuoden aikana paikkakunnalla, suurin
osa heistä seurakunnan jäseniä, niin suomenkielinen
toiminta jatkuu ompeluseuran ja veljeysseuran yhtey-
dessä, radioinnissa ja jumalanpalveluksissa. Suoma-
laiset vähemmän kiintyvät LCA kirkon hommiin ja
uusiin oppikirjoihin, mutta ilomielin ottavat vastaan
suomalaisaiheiset kirkolliset asiat, kuten tri Erkki
Kurki-Suonion vierailun. Ainakin seitsemän paikka-
kuntalaista on vieraillut Suomessa vuoden varrella.
David Keskinen ja Ross Niinistö, kolmannen polven
suomalaisia, ansaitsivat partiopoikien Pro Deo et
Patria merkin.

St. Mark's seurakunta, Warren, Ohio

Pyhän Markuksen seurakuntalaiset juhlivat loka-
kuulla v. 1964 kuudettakymmenettä vuosijuhlaa.
Suomenkielinen kirkollinen elämä on hiukan pienen-
tynyt, mutta tavanmukainen palvelus jatkuu. Kiin-
nostus LCA kirkkoon ei ole herännyt, ei myöskään
Suomi Konferenssiin. Yhteiskunnallinen ja taloudel-
linen elämä paikkakunnalla on terveellinen.

St. Luke's seurakunta, Monessen, Pennsylvania

Pastori Daniel Saarinen, pastori John Saarisen poi-
ka, hiljan papiksi vihitty, on pappina ja laskee itsensä
kolmeneljännesosaiseksi suomalaiseksi. Suomenkieli-
nen toiminta on vielä vilkasta ompeluseurassa ja kun

on saapuvilla vieraita puhujia. LCA kirkkoon on suhtauduttu myöntävästi, mutta uusia oppikirjoja, parish education curriculum sarjassa, hiukan epäillään mitä tulee sisältöön nähden. Seurakunnassa on annettu paljon huomiota urkukassalle ja on ostettu uusi talo kirkon vierestä seurakunnalle käytettäväksi. Suomalaisten väestö ei ole muuttunut, lukuunottamatta muutamia talvivierailuja etelään.

St. John's seurakunta, Detroit, Michigan

Seurakunta on viisikymmenvuotinen ja juhlii toukokuulla 1964. Toinen juhla oli seurakunnan raamattuleirin, Luther Vistan, kymmenvuosijuhla syyskuulla. Suomenkielinen kirkollinen palvelus jatkuu siten, että on jumalanpalveluksia säännöllisesti viikottain ja ne leviää nauhoitettuna estetyille. Vaihtovierailu Suomeen on vilkasta. Michael Mäyry, 15-vuotias, sai Chautauqua oppistipendin, jonka arvo on $520, viulun soiton harrastamiseen. Suomalaiset ovat suhtautuneet ymmärtävästi LCA kirkkoon. Suomi Konferenssiin ei ole erityistä kiinnostusta.

Bethany seurakunta, Ashtabula, Ohio

Pastor Martin Saarinen palvelee Bethany seurakuntaa sekä Northeast Districtin dekanuksena Ohio Synodissa. Suomenkielinen toiminta on vireillä Senior Fellowship seuran keskuudessa. Jack Kangas sai filosofian tohtorin arvon sekä Fulbright stipendin. Douglas Walkepaa, Laura Thieman ja Gerald Salmen saivat Wittenbergin yliopiston scholarshipin. Bethany seurakunta maksoi kymmenen vuoden rakennuskassan bondit vuoden aikana ja $2,000 vakuutuslupauksen. Ainakin yksi suomenkielinen uusi perhe on muuttanut paikkakunnalle ja vaihtovierailua on ollut Suomeen. Suomenkieltä ja suomalaisuutta myöskin tukevat diakonissat ja kuorot. LCA kirkkoon ei ole suomalainen väki erittäin perehtynyt, mutta Suomi Konferenssiin on osoitettu enemmän intoa.

St. John's seurakunta, Erie, Pennsylvania
Seurakuntaa palvelee Conneautin pastori, Armas L. Mäki, ainakin kahdella jumalanpalveluksella kuukausittain. Seurakunnassa on jäseniä kaksikymmentä. Matti Niemi ja Jacob Tammi kuolivat vuoden varrella. Jäsenten enemmistö on eläkettä nauttivia. Myötämielisyyttä tunnetaan LCA kirkkoon ja mielisuosiota Suomi Konferenssiin.

Kirjoittaja on myöskin kuullut pappisjäseniltä:

Pastori Philip Anttilalta vastaus kyselyyn. Hän palvelee nykyisin Olivet seurakuntaa Ohion Sylvaniassa.

Pastori Otto E. Mäki nauttii eläkettä Ohion Ash-at bulassa.

Tri Bernhard Hillilä kirjoitti Hamma Divinity seminaarista ja kertoi siellä pidetystä vuotuisesta suomenkielisestä joulukirkosta.

Trinity seurakunta, New Castle, Pennsylvania
Trinity seurakuntaa palvelee pastori John E. Hattula. Suomenkielisiin jumalanpalveluksiin osallistuu keskimäärin 35 viikottain ja saarnat levitetään nauhoitettuna sairaille. Monet suomalaiset ovat eläkkeellä. Suomenkielinen ompeluseura kokoontuu kuu-

kausittain. Seurakunta ja pastori eivät kuulu Suomi Konferenssiin, mutta osallistuvat sen toimiin, kuten raamattuleirillä.

Suomalaiset eivät ole myönteisiä LCA kirkolle ja sen hommille, mutta nuorempi polvi on innostunut ja jotkut etenkin uusiin oppikirjoihin. Naiset eivät yhtyneet LCA kirkon naisten toimeen, mutta toimivat seurakunnassa. Ainakin yksi partiopoika palvelee voittaakseen itselleen Pro Deo et Patria merkin. Muuten olosuhteet paikkakunnalla ovat vähemmän muuttuneet.

Zion seurakunta, Fairport, Ohio

Zionin seurakuntaa palvelevat pastorit Toivo V. Rosenberg ja Henry W. Leino, jotka ovat kummatkin suomen- ja englanninkielen taitoisia. Zion seurakunta on varmasti harvinaisuus Amerikassa siinä suhteessa ja senkin tähden, että paikkakunnalla on vilkasta suomenkielistä toimintaa. Seurakunnassa toimii säännöllisesti ompeluseura, veljeysseura ja kirkko ja kotiseura, kaikki suomenkielellä. Suuri seurakunta osallistuu jumalanpalveluksiin joka sunnuntai. Seurakunta otti huolekseen Amerikan ja Canadan Suomi-Konferenssin juhlan kesäkuulla 1964 ja palveli emäntänä esimerkillisesti. Kaksi suurenlaista raittiusseurajoukkuetta on otettu vieraiksi Suomesta vuoden aikana sekä lukuisa määrä yksityisiä vieraita.

Vaikka vuoden aikana ei ole paikkakunnalle siirtynyt uusia suomalaisia perheitä, niin ei ole myöskään poistunut. Yleinen taloudellinen toimeentulo paikkakunnalla on säilynyt tervennä.

Suomenkieliseen raamattuleiritoimeen on kiinnostusta Fairportissa. Suomi-Konferenssi on saanut lämpimän vastaanoton Fairportissa ja myöskin tunnetaan myötätuntoa LCA-kirkkoa kohtaan. Kun siirrytään uusiin kirkollisiin oloihin, niin on merkille pantava, että suuri määrä siirtolaisväkeä siirtyy pois kuoleman kautta vuotuisesti. Fairportin kuolleitten luettelo on varmasti yleisesti huomiota herättävä:

1963	1964
Samuel Hakala	Emil Mackey
Matt Kemppainen	Matti Hakola
J. O. Myllykoski	Maria Annala
Matt E. Lahti	Lillian Silvi
Salomon Saarela	John Toppari
Jacob Lipsanen	Maria Herlin
Eveliina Leppänen	Millie Hemming
Lilja Marttala	Matti Haapa
Tehella Nieminen	
Isaac Lofgren	

Helluntai ja lähetys

(Eino Vehanen)

HELLUNTAI on eräs kirkkovuotemme suurista juhlapyhistä. Sitä vietetään Hengen vuodatuksen muistoksi — tapahtuman josta kerrotaan Apostolien tekojen toisessa luvussa.

Mitä tarkoittaa helluntai?

Jos esittäisimme kysymyksemme sanokaamme sattumalta tiellä ohikulkeville ihmisille, saisimme varmaan monenlaisia vastauksia. Joku ehkä sanoisi, ettei tietänyt. Joku tokaisisi, ettei perustanut koko kysymyksestä. Ehkä joku pysähtyisi selittämään, että alkukirkon helluntai Hengen vuodatuksineen ja kielillä puhumisineen oli ainutlaatuinen ja yliluonnollinen tapahtuma, joka rajoittui ja oli tarkoitettu rajoittumaan ensimmäisiin apostoleihin ja jolla näinollen oli kyllä muisto- ja tunnearvoa mutta ei laajempaa kantavuutta kirkon myöhemmissä vaiheissa. Puhuja kenties lisäisi, että oli luterilainen. Tähän saattaisi joku sivusta keskustelua seurannut ohikulkija huomauttaa, että helluntain tapahtuma oli tarkoitettu toistumaan meidänkin aikanamme ja että ihmeellisiä henkikokemuksia kielillä puhumisineen voitiin vieläkin saada. Huomauttaja lisäisi, että missä ei ollut helluntaita, siellä ei myöskään ollut elävää, koko maailman itseensä sulkevaa lähetystietoutta eikä todellista todistaja- ja uhrimieltä. Asiaa valaistaisiin kenties tilastoilla. Suomen 30,000 helluntaikristityn joukosta oli vuonna 1962 yksistänsä Japanissa yhteensä 15 lähetyssaarnaajaa eli enemmän kuin Suomen Luterilaiseen Kirkkoon kuuluvia lähettejä samana vuonna Nousevan Auringon maassa. Ruotsista muihin maihin lähteneistä lähetyssaarnaajista oli kokonaista 33% helluntailaisia, jota vastoin ainoastaan 20% oli tunnustuksellisesti luterilaisia. Tämä huolimatta siitä että Ruotsi, niinkuin Suomikin, olivat valtaosaltansa luterilaisia maita. Vastaavanlaisia tilastoja esitettäisiin muistakin ns. kristityistä maista. Lopuksi saisimme kuulla johtopäätöksen: heikko tai puuttuva helluntain merkityksen ymmärtäminen ja laimea maailmanlähetysharrastus kulkevat käsi kädessä.

Palaamme alussa esittämäämme kysymykseen: mitä tarkoittaa helluntai?

Apostolien tekojen toisesta luvusta voi kenties saada sellaisen käsityksen, että helluntaitapahtuman ydinkohtina olivat ihmeelliset henkikokemukset kielillä puhumisineen. On kuitenkin ilmeistä, että henkikokemukset olivat ainoastaan seurauksia. Helluntai olisi ollut luvattu helluntai ilman niitäkin. Henkikokemukset ainoastaan ikäänkuin korostivat tapahtunutta. Helluntai-ihmeelle ei ole oleellista, että oppimaton ihminen yhtäkkiä alkaa puhua vierasta kieltä. On yhtä suuri ihme, että ihminen vaivaloisen ja ahkeran työn kautta oppii vaikean, tuntemattoman kielen niin että voi sillä julistaa ymmärrettävästi Jumalan iankaikkista evankeliumia. Helluntain merkitys ei ole myöskään riippuvainen siitä, syntyykö hengellisissä tilaisuuksissa hurmostiloja, jolloin ihmiset lausuvat sekavia, käsittämättömiä tavuja uskoen puhuvansa "kielillä". Apostoli Paavali, jolla itsellänsä oli tällaisia henkikokemuksia, osoittaa että ne ovat vähempiarvoisia kuin selkeä, ymmärrettävä todistus. Koska ei ole todistusta ilman Pyhää Henkeä, on todistuskin osa helluntai-ihmettä. Toiselta puolen helluntain merkitys *voi* toteutua sielläkin, missä koetaan erityisiä henkivaikutuksia.

Mikä siis on helluntaitapahtuman ydin?

Helluntai ei ole jokin irrallinen tapahtuma, vaan on sekin osa Jumalan suurta pelastussuunnitelmaa. Pyhä Henki oli mukana maailman luomisessa. Pyhä Henki vaikutti Vanhan Testamentin profeetoissa ja yleensäkin Israelin historiassa. Jeesuksella oli Pyhä Henki. Hänen opetuslapsensa saivat Pyhän Hengen jo ennen helluntaita. Pyhän Hengen työ oli nähtävissä myös Israelin ulkopuolella, kansojen maailmassa, kaikkialla missä oli valveutuneita omiatuntoja ja vanhurskauden janoa.

Edelläesitetyn nojalla voidaan luonnehtia helluntaitapahtuman erityinen merkitys. Se on siinä, että Jeesuksen lupaama ja lähettämä Pyhä Henki *tuli omaansa*. Hänen tulonsa oli valmistettu. Sen pohjana ja edellytyksenä oli Kristuksen täytetty lunastustyö ja korotus. Ennen tätä korotusta "Henki ei ollut vielä tullut" (Joh. 7: 39b). Nyt Pyhä Henki tuli täyttämään maailmassa sen paikan, jonka korotettu Herra oli jättänyt. Herra itse oli oleva Pyhänä Henkenä läsnä seurakunnassansa. Tämän läsnäolon välikappaleina oli oleva sana ja sakramentit. Koska Herra oli oleva läsnä seurakunnassansa, oli Hän seurakuntansa kautta oleva läsnä myös lunastamassansa maailmassa. *Uusi aikakausi oli alkanut maailman elämässä.* Tämä aikakausi, lopunajan kausi, Hengen kausi, alkoi ensimmäisenä helluntaina. Tässä merkityksessä ei Henki ollut sitä ennen "vielä tullut".

Se uusi maailmankausi, joka alkoi ensimmäisenä helluntaina, on nimenomaan lähetyksen kausi, maailmanlähetyksen kausi. Siinä ovat vanha ja uusi rinnakkain, toisiinsa sekoittuneina, toisiansa vastaan sotivina. Ennen helluntaita ei ollut vielä sitä *uutta,* joka tekee lähetystyön *mahdolliseksi.* Herran toisen tulemuksen jälkeen ei ole enää oleva sitä *vanhaa,* joka tekee lähetystyön *tarpeelliseksi.* Helluntain merkitys ei näinollen rajoitu alkukirkon helluntaitapahtumaan, vaan tämä tapahtuma on uuden liiton helluntain alku — helluntain joka jatkuu Herran tulemukseen asti. Tänä aikana on Herran ylösnousemusta saarnattava kaikessa maailmassa. Tänä aikana on kaikkia ihmisiä kaikkialla kehoitettava muuttamaan mielensä ja uskomaan evankeliumi. Tänä aikana on ihmisiä otettava kasteen sakramentin kautta seurakunnan yhteyteen ja ruokittava alttarin sakramentilla uskon vahvistukseksi. Tänä aikana on Herran seurakunta rakentuva Pyhän Hengen rakentamana — Hengen, joka luo uutta elämää. Pyhä Henki luo ja toteuttaa myös kirkon yhteyden. Baabelin Tornin tilalle kohoaa Jumalan Temppeli. Herran omat on kutsuttu toimimaan Hänen työtovereinansa seurakunnan rakentamisessa. Niin kauan kuin vanha on olemassa, ei seurakunnan näkyvä yhteys pääse olemaan täydellinen. Mutta tämä yhteys on Herran omien toivo ja kannustin heidän odottaessansa Hänen tulemustansa. Vanhan tähden ei Hengen luoma uusi elämäkään voi olla täydellinen. Mutta se murtautuu kaikkialle sinne, missä on hätää hengen, sielun ja ruumiin puolesta. Herran ylösnousemuksen todistus tulee lihaksi palvelevan rakkauden muodossa ja jatkuu siihen asti kuin Hän tulee.

Helluntain merkitystä tarkastellessamme uhkaa meitä kahdenlainen vaara. Me joko ajattelemme, että helluntai kuuluu ainoastaan alkukirkon apostolien aikaan ja on sellaisena eräänlaista "museotavaraa", arvokasta ehkä mutta auttamattomasti aikansa elänyttä. Taikka sitten me olemme taipuvaisia panemaan sen merkityksen erityisistä henkivaikutuksista riippuvaksi. Helluntai kuuluu aivan meidän aikaamme, sitä enemmän mitä lähempänä on Herran tulemus. Sama suuri tehtävä, joka uskottiin ensimmäisille apostoleille, on uskottu meille. Herran seurakunta on edelleenkin maailman toivo. Sillä Kristus, seurakunnan Herra, on maailman toivo. Tämä Kristus on Pyhänä Henkenä seurakunnassansa läsnä sanan ja sakramenttien kautta. Emme voi erottaa toisistansa helluntaita ja lähetystä. Ne kuuluvat yhteen tämän lopunajankauden päättymiseen asti.

Kirjallisuutta—Harry R. Boer: *Pentecost and Missions,* Eerdmans, 1961.

Maywood, Illinois, heinäk. 8 p. 1964.

Kolumbia alueen Suomi-Konferenssin toiminnasta 1962-1964

(Emil Laitinen)

KOLUMBIA alueen Suomi-Konferenssin johtokunta valittiin Portlandissa huhtik. 28 p:nä 1962. Silloin olimme viimeisen kerran Suomi-Synodin Kolumbia Konferenssin kokouksessa. Kirkkokuntamme oli päättänyt yhtyä toisten luterilaisten kanssa. Meille suomalaisille myönnettiin tilaisuus järjestää Suomi-Konferenssin uuden kirkkokunnan LCA'n yhteyteen. Kokouksen yksimielinen päätös oli, että yhdytään Suomi-Konferenssiin. Valittiin johtokunta, johon tulivat pastori Martin Wilkman, esimies; pastori W. V. Kuusisto, vara-esimies; miss Helvi Silver, kirjuri; mr. Andrew A. Asuja, rahastonhoitaja, ja E. Laitinen, varajäsen.

Kolumbia alueen Suomi-Konferenssin ensimmäinen Sana ja Sävel juhla vietettiin Astoriassa, Ore., Siion lut. kirkossa marrask. 11 p:nä 1962. Pacific Luth. Seminaarin professori, Toivo Harjunpää, saarnasi jumalanpalveluksessa aamupäivällä ja oli juhlapuhujana iltapäivän ohjelmassa. Saimme kuulla korkeatasoisen ja hyvin esitetyn puheen, jonka aihe oli "Musiikin voima kirkon historiassa." Kuultiin myös hyvin onnistunutta ohjelmaa. Luettiin tervehdyskirje, jonka oli lähettänyt Suomi-Konferenssin esimies, tri R. W. Wargelin. Nasellen ja Astorian suomenkieliset kuorot lauloivat. Pastori D. E. Koponen esitti tenorisooloja "Mestari, myrsky on suuri" ja "Ajasta aikaan varjellut" mrs. Koposen säestäessä. Lausuntaa esitti Elsa Rautio. Siion suomalaisen kuoron kvartetto, johon kuuluvat pastori W. V. Kuusisto, Vilho Perttu, Elsie ja Helvi Silver, lauloivat "Kuule rukouksen', Jeesus." Pastori Kuusisto johti alku- ja päätösrukoukset.

Kuulijoita suomalaisessa jumalanpalveluksessa oli 119; iltapäivän juhlassa 150. Juhlavieraita oli saapunut monilta eri paikkakunnilta. Iltapäivän ohjelman jälkeen oli johtokunnan kokous. Entiset virkailijat valittiin seuraavalle vuodelle. Kun osanotto näihin juhliin oli niin hyvä, suunniteltiin uutta juhlaa vuodeksi 1963. Juhla päätettiin pitää edelleenkin Astoriassa.

Tämä on vain yleinen kertomus juhlastamme, eikä voi kuvata niitä siunauksia mitä juhlassa-olija sai kokea. Taitava sanankylväjä löysi hyvän maan. Hyvä sopu ja yksimielisyys vallitsi juhlien alusta loppuun asti.

Kolumbia alueen Suomi-Konferenssin toinen vuosijuhla vietettiin Astoriassa Ore., toukok. 26 p:nä 1963. Siunaurikas päivä alettiin jumalanpalveluksella. Alttarilla toimi pastori W. V. Kuusisto. Professori Toivo Harjunpää saarnasi. Kun tämä sunnuntai seurasi Helatorstaita, niin puhuja viittasi Kristuksen ylösnousemuksen suureen merkitykseen kristinuskossa; hän kehoitti kuulijoita suuntaamaan ajatuksensa taivaaseen päin. Ylentävä saarna nosti mielet arkisista ajatuksista korkealle tasolle, joka tunnelma vallitsi koko päivän.

Iltapäivän ohjelma alkoi kello 2:30. Mrs. Helena Perttu toimi ohjelman esittäjänä. Juhlapuhujamme, professori T. Harjunpää, selitti hengellisten laulujen sekä sanojen suurta merkitystä ja vaikutusta kirkkokansan elämässä. Hän suuntasi puheensa "Hilariuksen Kiitosvirteen", joka on vaikuttanut vuosisatoja kristikunnan keskuudessa eri kansoissa ja kirkkokunnissa. Hän mainitsi myös "Mun ota käten Herra"-laulun tekijästä. Kiitollisin mielin kuunneltiin näitä syvällisiä esityksiä. Portlandin, Astorian ja Nasellen kuorot lauloivat. Portlandin kuoro esitti englanninkielellä "Oi Herra, jos mä matkamies maan" ja "Nyt ylös sieluni" pastori Koposen johdolla. Nasellen kuoroa johti mrs. Saima East. Astorian kuoroa johti miss Helvi Silver. Sooloja esittivät pastori Koponen, Otto Pekkarinen ja mrs. Esther Pitkänen. Mrs. Helena Peröttu lausui Lauri Pohjanpään runon "Sana." Viulusoolon esitti miss Svanson. Näissä tilaisuuksissa veisattiin useita virsiä yhteisesti. Nämä Konferenssin juhlat virkistivät ja innostivat suomalaista yhteistoimintaa Herran työssä.

Pastori M. Wilkman johti johtokunnan kokousta. Kaikki virkailijat olivat saapuvilla. Seuraava juhla päätettiin viettää Nasellessa toukokuun lopulla tai kesäkuun alussa v. 1964. Lausuttiin sydämelliset kiitokset Astorian seurakunnalle, että se on ottanut nämä juhlat suojiinsa. Kiitos juhlan järjestäjille ja kaikille osanottajille, sekä ahkerille emännille, jotka kantoivat päivän kuorman ja helteen ruokkiessaan suuren juhlayleisön. Suurin kiitos Jumalalle, joka virkisti Sanansa kautta.

Nasellen ev.-lut. seurakunnan kutsua noudattaen vietettiin Suomi-Konferenssin kolmas Sana ja Säveljuhla Nasellessa, Wash., kesäk. 7 p:nä 1964. Tämä juhla oli kaksoisjuhla. Pastori M. Wilkman ilmoitti, että heidän seurakuntansa juhlii samalla 70-vuotisjuhlaansa. Suomalainen jumalanpalvelus oli kello 10 ap. Pastori M. Wilkman toimi alttarilla. Suomesta saapunut juhlapuhujamme, tri Erkki Kurki-Suonio, saarnasi Joh. Ilmestsykirjan 3 luvun 15—22 värsyjen johdolla. Kello 11 oli englanninkielinen jumalanpalvelus, jossa saarnasi pastori M. Wilkman, lasten kuoro lauloi saarnan jälkeen.

Iltapäivän ohjelman alussa pastori M. Wilkman lausui juhlapuhujan ja juhlavieraat tervetulleeksi ja johti rukouksen. Musiikki oli taas hyvin edustettuna, sillä Astorian, Aberdeenin, Portlandin ja Nasellen kuorot kaiuttivat kauniita lauluja. Portlandin kuoron johtaja mrs. Larsen ja pastori Koponen lauloivat dueton. Tri Kurki-Suonio soitti pianosoolon ja säesti virret. Kun veisattiin "Jo joutui armas aika ja suvi suloinen", niin tuntui kuin siinä säestyksen rinnalla olisivat linnut visertäneet. Juhlapuhujamme puhui Mooseksen 5 kirjan 30 luvun ja 19 värsyn johdolla. Puhe oli kohtikäypää; eteemme asetettiin elämä ja kuolema, siunaus ja kirous. Meitä kehoitettiin valitsemaan siunaus. Puhuja sanoi, että hän ottaa todistajaksi nämä lännen suuret vuoret, tämän mahtavan Kolumbia virran ja valtavan Tyynen meren, että Jumala tarjoo meille siunauksen. Sitä varten kansojenkaitsija on johdattanut suomalaiset tänne lännen maille, että me eläisimme siunaukseksi tämän suuren kansan keskellä. Juhlakansaa oli saapunut niin paljon, että osa joutui kuuntelemaan ohjelmaa alasalissa. Tri Kurki-Suonio halusi tervehtiä kaikkia ja viedä terveiset heidän kotipaikoilleen Suomeen.

Nämä Suomi-Konferenssin Sana ja Sävel-juhlat ovat muodostuneet meille vanhoille suomalaisille täällä pohjoislännellä virkistysjuhliksi. Monien Nasellessa olleitten juhlavieraitten toivomus oli, että näitä juhlia jatkettaisiin. Portlandin seurakunnalta oli saapunut kutsu, että ensi vuoden juhlat pidettäisiin Portlandissa. Johtokunta päätti ottaa kutsun vastaan. Siis vuonna 1965 juhlitaan Portlandissa.

(Yllä olevat rivit on kokoiltu Kolumbia alueen Suomi-Konferenssin kirjurin miss Helvi Silverin selostuksista.)

Kalifornian kuulumisia

(Martti Ahonen)

SUOMI KONFERENSSIN Kalifornian alueen vuosiko-kous ja juhlat vietettiin San Franciscossa Geth-semane-seurakunnan suojissa kesäk. 4 p:nä 1964. Juh-lapuhujaksi olimme onnistuneet saamaan tri Erkki Kurki-Suonion Helsingistä, Suomesta. Hän tällä mantereella vieraili useissa Yhdysvaltain ja Kanadan suomalaisissa seurakunnissa ja ulotti matkansa aina tänne kauas länsirannikolle saakka. Alueellamme hän ensin vieraili Los Angelesissa ollen kolme yötä pappilassamme ja vierailullaan virkistäen tämän seu-dun suomalaisiamme. Myös Berkeleyssä hän puhui kesäk. 3 p:nä, ja se oli saarna, joka kuulijoilta ei he-vin unohdu.

Alueemme vuosijuhlat oli järjestetty tri Kurki-Suonion matkaohjelman puitteissa ja juhlapäiväksi senvuoksi määräytyi torstai. Ehkä siitä johtui, että yleisömäärä jäi verrattain suppeaksi. Pitkien etäi-syyksien takia on vaikeata saada väkeä kokoon kes-kellä viikkoa. Kuitenkin Herra oli kanssamme ja lä-hettämänsä sananpalvelijan suun kautta saimme kuulla Pyhän Hengen elävöittämää Jumalan sanaa. Saimme todella kokea keidashetken arkisen vaelluk-semme keskellä. Olla oikein virvoittavien vesilähteit-ten äärellä saaden kokea, miten nääntyvät ja janoiset sielumme saivat juoda elävää vettä. Saimme taittaa elämän leipää ja syödä sitä iankaikkiseksi elämäksem-me. Tulimme ravituiksi, mutta siten, että janomme ja nälkämme vain lisääntyi iankaikkisten arvojen perään.

Olisimme suoneet rakastetun vieraamme, tri Kurki-Suonion voivan viipyä keskuudessamme kauemminkin. Saimme tuntea ja kokea, että alttarin hiili oli hänen huuliaan koskettanut, kun hän meille elämän sanoja puhui.

Muutoinkin alueemme vousijuhlat onnistuivat erinomaisesti ajan niukkuudesta huolimatta. Tunsimme olevamme todella siunausten pilven alla. Past. Henry Kangas isäntäseurakunnan paimenena oli vaivojaan säästämättä tehnyt parhaansa juhlien järjestelyssä ja antaen oman panoksensa myös esilletuomansa Jumalan sanan kautta. Pastorin sisar nti Hilda Kangas ja monet toiset seurakunnan naisista myötävaikuttivat alttiilla palvelullaan vieraiden viihtymiseksi. Myös miesväkeä oli saatu palvelemaan monin tavoin. Varmaan on seurakunnan Herra runsain mitoin palkitseva sen uhraavaisen rakkauden ja palvelevan alttiuden, jotka osaksemme näillä juhlilla tulivat.

Ohjelma iltapäivän hartaustilaisuudessa ja illan juhlassa oli musikaalisesti korkeatasoista. Virsilaulantakin oli sellaista, että vain harvoin senkaltaista saa täällä lännen suomalaisseurakunnissa kuulla.

Virallisessa alueemme vuosikokouksessa ilmeni, että vaikka toimimmekin erittäin vaikeissa olosuhteissa, voimme kuitenkin toivorikkaina toimia. Täällä eri jäsenseurakuntiemme väliset pitkät etäisyydet vaikeuttavat yhteistoimintaa. Monet muut hankaluudet ovat ehkäisemässä toimintamme joustavuutta, mutta Herran avulla pyrimme eteenpäin

"Verin voitettu vapaus velvoittaa"

(Frans Korila)

OTSAKKEEKSI lainaamani sanat on kotipitäjäni Kurikan vapaussodassa v. 1918 kaatuneitten sankarien muistopatsaaseen kaiverrettuna. Ymmärrämme hyvin mitä sanat tarkoittaa. Raskain, verisin uhrein sai pieni kansamme vapautensa. Tämä verin ostettu vapaus velvoittaa jälkipolvia pitämään kalliina maansa itsenäisyys ja vapaus, koska sen puolesta moni nuori mies uhrasi elämänsä. Ei kuitenkaan ole tarkoitus kirjoittaa rakkaan kotimaan vapaudesta ja itsenäisyydestä, vaikka siitäkin voisi hyvällä syyllä kirjoittaa, vaan kirjoitan vieläkin suuremmasta vapaudesta. Paavali sanoo: "Vapauteen Kristus vapautti meidät. Pysykää siis lujina, älkääkä antako uudestaan sitoa itseänne orjuuden ikeeseen." Gal. 5: 1. Galattassa oli syntynyt Paavalin julistaman evankeliumin vaikutuksesta seurakunta, joka vapautettuna iloitsi Jumalan ansaitsemattomasta armosta, mutta kuten aina, niin nytkin suuri sielujen orjavouti, saatana, ei katsonut suopein silmin sitä mitä Galattassa oli tapahtunut, siksi vihollinen lähetti sinne toisenlaisen evankeliumin, joka uudelleen tahtoi sitoa armon vapauttamat sielut lain orjuuteen. Ei mikään ole viholliselle niin vastenmielistä kun nähdä armosta iloitseva, kiittävä Jumalan lapsi.

Galattassa tapahtuneesta henkien taistelusta on vierähtänyt jo noin 1900 vuotta ja kuitenkin samaa taistelua käydään vielä tänäänkin. Vapauden vakoo-

jat eivät saavu nyt samanlaisin asein kuin silloin. On-
han ympärileikkaus ja muut juutalaisten seremoniat
jääneet pois kristikunnasta, mutta nyt vihollinen tah-
too kuin myyrä nakertaa pois ristin pahennuksen.
Jumalan sana, ja sen julistama ikuinen totuus tahdo-
taan tehdä epäilyn alaiseksi. On muka lapsellista
uskoa, että Jeesus Vapahtajamme on siinnyt Pyhästä
Hengestä. Jeesuksen sovintokuolema Aatamin lan-
genneen suvun lunastamiseksi ei ole monien uskon-
nollisuutta harrastavien ainoa rauhan ja toivon pe-
rustus. Kristuksen ylösnousemus on monien mielestä
humpuukia. Jumaluuden kolmanteen persoonaan
Pyhään Henkeen ei uskota. Kristuksen toinen tule-
minen on monille pilkan aihe. Toteutuu se minkä
Pietari ennusti: "Tietäkää se, että viimeisinä päivinä
tulee pilkkapuheinensa pilkkaajia, jotka vaeltavat
omien himojensa mukaan ja sanovat: "Missä on lu-
paus hänen tulemuksestansa? Sillä onhan siitä asti,
kuin isät nukkuivat pois, kaikki pysynyt, niinkuin se
on ollut luomakunnan alusta." 2 Piet. 3: 3, 4. Kun
näin nakerretaan pois kristinuskosta sen keskeisim-
mät totuudet, niin mitä jää jälelle? Paljaat oljet.

Kristuksen verin voittama vapaus synnistä,, kuole-
masta ja perkeleen vallasta velvoittaa meitä häneen
uskovia olemaan uskollisia. "Ole uskollinen kuole-
maan asti, niin minä annan sinulle elämän kruunun."
Ilm. 2: 10. Uskollisuus ei tarkoita vain istumista ja
uskomista. Me olemme Jumlaan työtovereita, olem-
me Kristuksen kirje. Vieläkin on voimassa suuren
Ylipaimenen käsky: "Menkää kaikkeen maailmaan ja

saarnatkaa evankeliumia kaikille luoduille." Mark. 16: 15. Kaikki ei voi tietystikään lähteä ulkolähetyskentälle, joku taasen vaalittaa Mooseksen tavalla: "Minulla on hidas puhe ja kankea kieli." Jumalalle ei tarvitse nopeasti puhua, siksi sinäkin voit liittyä esirukousrintamaan. Usein Paavali pyytää seurakuntalaisia: "Rukoilkaa meidän edestämme!" Evankeliumin asia kaipaa ja tarvitsee myöskin rahaa. Kuinka kukaan voi julistaa ellei häntä lähetetä. Sinullakin on mahdollisuus olla lähettämässä ja aineellisin varoin kannattamassa niitä, jotka ristin rintamalla taistelevat pimeyden voimia vastaan. Ei yksikään, joka itse iloitsee armosta, voi vetäytyä syrjään. Kristuksen rakkaus vaatii meitä!

Nouskaa kaikki, kaikki Herran työhön
viemään autuus, ilo, elämä
epäuskon pimeähän yöhön,
näin yö vihdoin pois on väistyvä.

Kaikki kantakaamme lahjojamme
työhön kallehimpaan Herralle!
Herran kulta on ja hopeamme,
Hänelle siis kaiken annamme.

(Siionin Kannel No. 172: 8, 9)

Kutsumus poikakuoron penkistä

(Walter W. Werronen)

FAIRPORT Harborissa, Ohiossa, missä nyt on hieno pysäköimispaikka Pyhän Anthonyn Roomalais-katolisen kirkon ja Suomi Zion luterilaisen kirkon välillä, ennen aikaan oli hyvä paikka pelata marmori-

Pastori Walter Werronen

kuulilla. Iloisia olivat ne pojat, jotka sinne menivät torstaisin ennen poikakuoron harjoitustuntia.

Tämän kirjoittaja usein meni sinne voittamaan marmoria ennenkuin kuoron johtaja tuli kuorolaisia kutsumaan harjoituksille. Ja kun laulajat menivät laulamaan, niin minä menin kotiapäin taskut täynnä marmoria. Koulun musiikkiopettaja oli sanonut, että minä en ole laulaja.

Suomi Zionin poikakuoro oli niinkuin enkelikuoro sinivalkoisilla kuoropuvuilla. Poikien ikä oli kahdeksan vuotiaista äänenmurrokseen asti. Siinä oli 35 jäsentä vuonna 1941.

Poikakuoro otti osaa säännöllisesti aamujumalanpalveluksiin laulaen messut suomen- ja englanninkielellä. Kirkollisessa Kalenterissa vuonna 1942 on kuva (sivu 48), jossa näemme poikakuoron ottamassa osaa pappisvihkimykseen Fairportin kirkossa, kun Bernhard Hillilä, Walter Kukkonen ja Matt Sallmén vihittiin papeiksi.

Johtajana oli Lawrenre Jenkins, joka oli saanut koulutuksensa Englannissa ja Amerikassa. Rouva Alma Haapanen kirjoittaa poikakuorosta ennen mainitussa Kirk. Kalenterissa kuinka tri Alfred Haapanen kysyi johtaja Jenkinsilta: "Kuinka monta näistä pojista lukee papiksi?" Mr. Jenkins heti vastasi: "Viisikymmentä prosenttia."

Ei ole ihme, jos pojat innostuvat lukemaan papiksi. Kyllä elävä Jumalan Sana vaikuttaa kuulijoihin ja usko sekä syntyy että kasvaa. Ja kutsumus pappisalalle tulee tavalla tai toisella.

Mr. Jenkins kertoi rouva Haapaselle, että episkopaalikirkko saa 80 prosenttia papeistaan poikakuoroista. Tästä 1941 poikakuorosta ei tullut 50 prosenttia, mutta niitä tuli.

Fairportin 1941 poikakuorosta on nyt kolme pappia. Kuvassa on 24 laulajaa. Siis 12.5% ovat pappeja.

Rouva Haapanen sanoo: "Kuinka saisimme enemmän nuoria miehiämme innostumaan pappisseminaariin? Tässähän on yksi, jo käytännössä koettu vastaus: *Poikakuoro*.

Jos tarkastamme poikakuoron kuvaa 1942 Kirkolli. sesta Kalenterista, sivu 154, näemme pastori Mauno Kalliomaan ensimmäisessä rivissä. Hän on hoitanut Gardnerin suomalais-luterilaista seurakuntaa ja nyt toimii sotilaspastorina. Takarivissä seisoo pastori Jack Somppi, joka hoitaa Wapella Christian kirkkoa Wapellassa, Ill. Lähellä seisoo pastori Richard Erickson, joka on apulais-pastori East Dayton Church of Christ, Daytonissa, Ohiossa. Vain pastori Kalliomaa on luterilainen, mutta voimme sanoa, että Suomi Siionin poikakuoro on lahjoittanut hyviä pappeja muillekin kirkoille.

Ei ole tietoa kuinka muut poikakuoron jäsenet ovat pysyneet seurakuntaelämässä. Seitsemän vielä ovat Siionin jäseninä. Muut ovat muuttaneet pois. Kaksi ovat Californiassa ja ovat seurakunnissa. Hyvän alun ovat saaneet niistä vuosista poikakuorolaisina, kun ovat kuulleet ja laulaneet Jumalan Sanaa.

Tämän kirjoittaja ei voi sanoa kuinka se on, että hän on saanut kutsun pappisvirkaan vaikka ei ollutkaan poikakuoron jäsen, vaan marmorien voittaja. Onhan se todistus vain kreikattaren sanoista: "... mutta syöväthän penikatkin pöydän alla lasten muruja" (Mark. 7: 28).

Kristityt kynttilöitä
kynttilänjalassa

Joh. 1: 16—18

(Arvi Henry Saarisuu)

MONET meistä muistavat Suomen kirkoista omituisen tavan. Yksinäinen nainen lähestyy pappia niiaten tai kumartain, joko jumalanpalveluksen jälkeen tai edellä kirkossa. Pappi pysähtyy hänen eteensä pienen välimatkan päähän ja lukee käsikirjastaan tai ulkomuististaan jotakin tälle naiselle, jonka vain hän ja lähellä olevat kuulevat. Tämä toimitus on "kirkkoon ottaminen" naisen synnyttämisen jälkeen. Tapa on vapaaehtoinen luterilaisessa kirkossa, kunnioitettu, mutta ei ehdoton velvollisuus enää. Rooman kirkossa se on pakollinen. Amerikassa ei tätä tapaa enää yleensä käytetä luterilaisten kesken. Suomessakin tätä tapaa jo arvosteltiin, mutta toisilla paikkakunnilla se on edelleen arvokkaassa käytössä.

Tapa oli käytännössä Israelissa. Jokainen lapsensynnyttäjä tuli pyhäkköön 40 päivän eli 6 viikon jälkeen lapsen syntymisestä. Esikoinen, poikalapsi, lunastettiin samalla määrätyn uhrin kautta vapaaksi pyhäkköpalveluksesta, sillä esikoisten asemasta oli Leevin suku määrätty pyhäkköpalvelukseen. Näin Leevin suvusta tuli papillinen suku, jota Aaron ja Mooses edustavat ja sen jälkeen aaronilainen suku, joka taas liittyi leeviläiseen sukuun, josta tuli myös temppelin palvelijat. "Kirkkoon ottaminen" Israelissa oli siis lakimääräinen toimi, jonka suhteen ei tehty poikkeusta, olipa henkilö kuka hyvänsä. Näin Jumalan Poikakin Ihmisen Poikana tehtiin lain alaiseksi. Siksi hänetkin lunastettiin saman veriuhrin, köyhien uhrin kautta samasta kuoleman vaarasta, missä kaikki miespuoliset esikoiset olivat, jollei heidän puolestaan tätä uhria annettu.

Näin selitetty juhlapäivä sai vanhassa kirkossa erikoisnimen "kynttilänpäivä" siitä syystä, että silloin vihittiin tarkoitukseensa vuoden aikana käytettävät vahakynttilät. Herralle pyhitetyt esikoiset nostettiin samalla Israelin kynttilänjalkaan. Siihen kuuluivat esikoiset kodeissa, esikoiset Jumalan seurakunnassa, esikoiset Jumalan seurakunnan viroissa. Mutta vain puhdas ja pyhä sai loistaa kynttilänjalassa. Kun esikoiset Jumalan seurakunnan viroissa, papit Hofni ja Pinehas, Eelin pojat, likasivat elämällään kynttilän valoa, heidät surmattiin rangaistukseksi. Samoin kävi Aaronin pappispojille Nadabille ja Abihulle, jotka uhrasivat vierasta tulta Jumalan alttarilla ja senvuoksi kuolivat. Jumala näin valvoo niitä, jotka ovat nostetut kynttilänjalkaan.

Kynttilän tehtävä on valaista, olla hyödyksi. Meidän ihmisten tulisi olla eläviä kynttilöitä, jotka valaisemme toisiamme elämäliä, opilla ja persoonallamme. Annamme alituisesti vaikutteita toinen toisellemme. Lapset alituisesti seuraavat vanhempia ihmisiä, matkivat heidän tekojaan, oppivat heiltä alituiseen. Kuinka tärkeää, että voimme loistaa heille rakkauden ja uskon valoa, lisäten heille toivoa ja elämän uskallusta, jos he jostakin syystä peljästyvät elämän vaikeuksien edessä. Meidän tulisi olla Uuden Liiton kynttilöitä, jotka loistamme heille Kristus-valoa. Ainokainen Poika, joka on Isän helmassa, ilmoittaa meille Taivaallisen Isän. Ilmoitus Isästä tulee siis Pojan kautta. Onko meidän elämässämme mitään sellaista pyhitystä, että lähimmäisemme sen nähdessään tulisivat synnin tuntoon? Vaikuttaako antamamme esimerkki kellekään valona?

Uuden Liiton valo on Vanhan Liiton valoa suurempi, sen ilmoitus paljon rikkaampi. Uuden Liiton Raamattu on koko Raamattu. Kuitenkin meillä on Vanhassa Liitossakin paljon valoa. Siellä on laki, annettu Mooseksen kautta. Kymmenen käskysanan laki on jatkuvasti valonamme ja luo elämäämme ryhtiä ja järjestystä. Psalmit sisältävät monia tärkeitä neuvoja ja ohjeita, samoin Sananlaskut. Profeetat opettavat meille vanhurskauden tietä ja valmistavat Uuden Liiton Messiaalle otollista vastaanottoa. Monien Jumalan miesten elämäkerrat antavat valaisevaa opetusta meille jatkuvasti.

Mutta Uusi Liitto on antanut meille sittenkin paljon enemmän. *Armo ja totuus* ovat lahjoitetut Jeesuksen Kristuksen kautta Uudessa Liitossa. Apostolit ja evankelistat ja opettajat ovat tuoneet oman osansa Uuden Liiton valoon. Mutta mitä ovat nämä armo ja totuus, jotka Jeesus Kristus on tuonut maailmaan. Jeesuksesta sanottiin, että Jumalan armo oli hänen päällään, ja että hän kasvoi paitsi viisaudessa ja ijässä, niin myöskin armossa. Jeesus puhui armon sanoja, hän oli täynnä armoa ja totuutta. Hänen täyteydestään olemme saaneet armoa armon lisäksi. Joh. 1:14 ja Lk. 2. Jeesuksella oli erikoinen armon ja totuuden henki, Jeesus on täynnä paitsi armoa niin myöskin totuutta. Jumala haluaa totuutta salatuimpaan saakka, haluaa vaikuttimien puhtautta ja totuudellisuutta. Ps. 51. Jeesus puhuu totuuden sanoja. Totuus on tekevä ihmiset vapaiksi. Jeesus on tie, totuus ja elämä. Joh. 14. Opetuslapset pyhitetään totuudessa. Totuuden Henki on opastava opetuslapset koko totuuteen. Totiset rukoilijat rukoilevat Isää hengessä ja totuudessa. Joka totuuden tekee, hän tulee valoon. Totuutta on puhuttava rakkaudessa. Tulee seisoa kupeet totuuteen vyötettynä. Maailma ei voi totuuden Henkeä vastaanottaa.

Kristus-valo paistaa siis kaikissa niissä, jotka ovat vastaanottaneet totuuden Hengen. Sellaiset tuntevat totuuden hengen ja eksytyksen hengen. Uuden Liiton kynttiläjalka onkin varsinaisesti Jeesus Kristus. Muut kynttilät so. opetuslapset palavat hänen öljynsä voimasta, saavat hänestä valonsa. Seitsenhaarainen kynttilänjalka kuvasi Jumalan seitsemää henkeä. Kaikki he ovat eri kristityissä edustettuina, edustaen heissä viisautta, tietoa, uskoa, rakkautta (parannuslahjaa), voimaa, profeetallista aistia, hengellistä älyä, eri tavalla. Jeesuksessa Kristuksessa ovat edustettuna kaikki Jumalan seitsemän henkeä, sillä hänessä asuu jumaluuden koko täyteys. Uuden Jerusalemin lamppuna on Karitsa. Ilm. 21.

Onko sitten armo ja totuus, jotka Jeesus on tuonut

kristikuntaan, tehneet turhaksi lain. Eipä suinkaan, sillä rakkaus (armon ilmaus) on lain täyttymys, jopa ylityskin. Laki on ihmisen kasvattaja Kristukseen. Jeesus ei tullut lakia ja profeettoja kumoamaan vaan täyttämään. Laista ei katoa Jeesuksen mukaan pieninkään kirjain. Mutta Uuden Liiton laki on painettu lähinnä kristityn mieleen. Elämän hengen laki Kristuksessa Jeesuksessa vapauttaa hänet synnin ja kuoleman laista. Room. 8:2.

Pysyväisintä mitä olemme Vanhan Liiton laista omaksuneet ja edelleen opetamme ovat Kymmenet käskyt. Monissa muissakin kohdin seuraamme ja otamme oppia vielä Vanhan Liiton määräyksistä. Siellä on monia inhimillisiä ja moraalisia neuvoja, joita nykyaikakin pyrkii noudattamaan. Työmiehen, orpojen, leskien, köyhien aseman nämä lait ja asetukset turvaavat ja antavat niistä monia sattuvia ohjeita. Ruokataloudenkin alalla Vanha Testamentti antaa yksityiskohtaisia neuvoja mitkä ruokalajit ovat syötäviä, mitkä eivät, mutta niistä nykyajan ihminen ei mitään välitä ja on senkin vuoksi aina sairas. Ei kaikki ole syötäväksi aijottu, mitä ravintoloiden pöydällä tänä päivänä on, siitä voi vakuuttua, kun lukee esim. 5 Moos. 12 ja 14 luvut. Veren syönti on esim. hyvin ankarasti kielletty myös Uudessa Testamentissa ja on se suuri vaara terveydelle, mutta kuka sitä nyt ajattelee. Vuorisaarna on lähinnä se Jeesuksen saarna, jolla hän on täyttänyt vanhaa lakia. Kun ennen siis sanottiin: "Vihaa vihollistasi" sanoo Jeesus: "Rakastakaa vihollisianne ja rukoilkaa niiden puolesta, jotka teitä vainoavat." Matt. 5. Monissa muissakin kohdissa ja saarnoissaan hän korjaa vanhaa lakia. Hän tuli lakia täyttämään.

Vanhan Liiton uhreilla on esimerkiksi symboolisesti eli vertauskuvallisesti meille sangen paljon annettavaa. Opimme niistä, että kristitynkin elämä on uhriksi antamista muodossa tai toisessa. Kristillisyydessämme emme pääse eteenpäin, jos me vain aina olemme saajan paikalla. On myös annettava uhreja ja uhrattava kiitosta, ettemme kasvaisi aivan kiittämättömiksi.

Kristitystä, joka on nostettu kynttilänjalkaan, saavat pakanatkin osansa ja siunauksensa lukemattomilla tavoilla. Tämänkin seurakunnan kynttilänjalasta pitää valon ja kirkkauden säteillä pakanamaille saakka .

SUOMI KONFERENSSI

TOIMEENPANEVA KOMITEA

Puheenjohtaja: Tri R. W. Wargelin, 2445 Park Ave.,
Minneapolis, Minn. 55404
Varapuheenjohtaja: Pastori J. Eugene Kunos, 1003 Lewis
St., DeKalb, Ill.
Kirjuri: Pastori Olaf Rankinen, R. D. #2, Camp Mowana,
Mansfield, Ohio 44903
Rahastonhoitaja: Mrs. Elmi Hill, Chassell, Michigan
Lisäjäsen: Pastori Pellervo Heinilä, 264 McKenzie St.,
Sudbury, Ontario

ALUEITTEN PUHEENJOHTAJAT JA
TOIMEENPANEVAN KOMITEAN JÄSENET

Kalifornian Alue: Pastori Martti Ahonen, 917 J St., Reed-
ley, Calif. 93654
Kanadan Alue: Pastori Leslie Lurvey, 64 Bogert Avenue,
Willowdale, Ontario
Kolumbian Alue: Pastori Martti Wilkman, Naselle, Wash.
Idän Alue: Pastori V. Heiman, 187 Eastern Avenue,
Worcester, Mass.
Illinoisin Alue: Pastori J. Eugene Kunos, 1003 Lewis St.,
DeKalb, Ill.
Lake Erie Alue: Pastori Olaf Rankinen, R.D. #2, Camp
Mowana, Mansfield, Ohio 44903
Michiganin Alue: Pastori Wilbert Ruohomäki, 407 Mich-
igan Avenue, Crystal Falls, Mich.
Minnesotan Alue: Pastori Henry Aukee, 922 East 11th St.,
Duluth, Minn. 55805

SUOMI KONFERENSSIIN KUULUVAT
SEURAKUNNAT JA EDUSTAJAT

KALIFORNIAN ALUE

Holy Trinity, 1300 Rose St., Berkeley, Calif.
Mrs. Lempi Penttinen, 331 Clifton, Oakland, Calif. 94618
Trinity, 620 Redwood Ave., Fort Bragg, Calif.
Mrs. Sylvia M. Korhonen, 2432 Sherwood Rd., Fort
Bragg, Calif.
Finnish, 4003 West Adams Blvd., Los Angeles, Calif. 90018
Mr. William Laakso, 8457—C Madison Ave., South Gate,
Calif.

Evangelical, 10th and F Streets, Reedley, Calif. 93654
  Mrs. Fanny M. Heino, 1225 South Ave., Reedley, Calif. 93654
Gethsemane, 50 Belcher St., San Francisco, Calif. 94114
  Mrs. Lempi Merijärvi, 819 Washington St., Colma, Calif.

KANADAN ALUE

St. Timothy, 12 Poplar St., Copper Cliff, Ont.
  Mr. Eino Sorvari, R.R. #1, Copper Cliff, Ont.
Finnish, 22 King St., Kirkland Lake, Ont.
  Mrs. Alma Luoma, 17 McCamus Ave., Kirkland Lake, Ont.
St. Michael's Finnish, 1500 McGregor St., Montreal 25, Quebec
Niilo Niemi, 1500 McGregor St., Montreal 25, Quebec
Zion Evangelical, 256 Farrand St., Port Arthur, Ont.
  Paavo Haavisto, 350 Munro St., Port Arthur, Ont.
St. Mary's Evangelical, 355 Wellington W., Sault Ste. Marie, Ont.
  Mrs. H. Haggman, 360 Doncaster, Sault Ste. Marie, Ont.
St. John's, 78 William Ave., South Porcupine, Ont.
  Mr. Kalevi Siipola, 30 Bloor, South Porcupine, Ont.
St. Matthew's Finnish, 264 McKenzie St., Sudbury, Ont.
  Mr. Erkki Toivanen, 264 McKenzie St., Sudbury, Ont.
St. Mark's Evangelical, 257 Cedar St. N., Timmins, Ont.
  Mrs. Ilmi Vehkala, 392 Toke St., Timmins, Ont.
Agricola Finnish, 64 Boger Ave., Willowdale, Ont.
  Kyllikki Korhonen

KOLUMBIAN ALUE

Zion Lutheran, 565 12th St., Astoria, Oregon 97103
  Miss Helvie Silver, 310 W. Exchange St., Astoria, Ore. 97103
Immanuel, P.O. Box 58, Brownsmead, Oregon
  Mr. Jalmer H. Gerttula, Brownsmead, Oregon
Messiah, 4735 N. Commercial Ave., Portland, Oregon 97217
  Emil Laitinen, 4735 N. Congress Avenue, Portland, Oregon 97217
Bethlehem, 602 E. Market St., Aberdeen, Wash.

Mr. Andrew Asuja, 607 E. Broadway, Aberdeen, Wash.
Ilwaco Ev. Luth., Ilwaco, Wash.

Mrs. Laina Takko, Ilwaco, Wash.
Naselle, P.O. Box #1, Naselle, Wash.

Mr. Martin Ullakko, Naselle, Wash.

IDÄN ALUE

St. John, Brooklyn, Conn.
Mr. Arthur Inkeri, Canterbury, Conn.

St. Paul, Mechanic ja Whittemore, Fitchburg, Mass.
Mr. Henrik Lindquist, 63 Central St., Fitchburg, Mass.
01420

Bethel Evangelical, 122 West Street, Gardner, Mass. 01440
Mr. Walfrid Palojärvi, 24 Bates Road, Gardner, Mass.
Trinity Lutheran, 65 Roberts St., Quincy, Mass.

Mrs. Helen M. Luoto, 413 Green St., Weymouth, Mass.
St. John Evangelical, 30-32 Ellsworth Road, Peabody,
Mass.

Mr. & Mrs. Eino Kankalo, 22 Palmer Ave., Peabody,
Mass.
Faith, 187 Eastern Ave., Worcester, Mass.
Mr. Jack Luuri, 83 Humes Ave., Worcester, Mass.

ILLINOISIN ALUE

Bethlehem, 1915 North First St., DeKalb, Ill. 60115
Mr. Thomas Kuusisto, 809 No. 10th St., DeKalb, Ill.
St. Mark's, 566 Powell, Waukegan, Ill.
Mr. Einard A. Seppälä, 1045 Pine, Waukegan, Ill.
Trinity, 2135 Wilson Avenue, Chicago, Ill.
Mr. Eino Kangas, 1961 Winona, Chicago, Ill.

LAKE ERIEN ALUE

Bethany, 933 Michigan Ave., Ashtabula, Ohio
Mr. Ernest Wirtala, 1826 W. 13th St., Ashtabula, Ohio
Gethsemane, 1433 W. 57th St., Cleveland, Ohio 44102
Mrs. Emil (Mary) Raita, 4252 West 227 St., Fairview
Park, Ohio 44126
Good Shepherd, 1000 Broad St., Conneaut, Ohio 44030
Mr. Gust Nyman, 892 Mill St., Conneaut, Ohio
Zion, 508 Eagle St., Fairport Harbor, Ohio
Mrs. Rudolph Pernoja, 426 Fourth St., Fairport Harbor,
Ohio
Evangelical, Girard, Ohio

Mr. Matti Saare, 610 Beaver St., Girard, Ohio 44420
St. Mark's, 571 Parkman Rd. S.W., Warren, Ohio
Mrs. Elina Rautanen, 1194 Adelaide S.E., Warren, Ohio
St. John, 915 W. 2nd St., Erie, Pennsylvania
M. Jalmer Mäkelä, 833 West 3rd St., Erie, Pennsylvania
Bethlehem, 15888 Greenfield, Detroit, Mich. 448227
Nicholas Kangas, 17182 Kentfield, Detroit, Mich. 48219
St. John's, 13542 Mercedes, Detroit, Mich. 48239
Mr. Antti Holm, 15840 Robson, Detroit, Mich. 48227

MICHIGANIN ALUE

Bethany, Amasa, Mich.
Mr. Eino Karppi, Amasa, Mich.
Our Savior's, Atlantic Mine, Mich.
Miss Tyyne Paavola, Pilgrim Route, Houghton, Mich.
Baltic-South Range, Box 38, South Range, Mich.
Mr. John Saarela, Pilgrim Route, Houghton, Mich.
Faith, Calumet, Mich.
Mr. John Erkkilä, 400 Eighth St., Calumet, Mich.
Holy Trinity, Box 10, Chassell, Mich.
Mr. Edward Komula, Chassell, Mich.
Bethany, Covington, Mich.
Mr. Wilho J. Helberg, Box 533, Covington, Mich.
Emmanuel, Crystal Falls, Mich.
Mrs. Hjalmar Hulkko, R.R. #1, Crystal Falls, Mich.
Our Saviour's, Eben Junction, Mich.
Mrs. Sadie Posio, Chatham, Mich.
Grace Lutheran, Gwinn, Mich.
Mr. John Latola, Box 135, Gwinn, Mich.
St. Matthew's, Hancock, Mich.
Mr. John J. Heikkinen, 209 Quincy St., Hancock, Mich.
St. Paul, 113 South Curry St., Ironwood, Mich. 49938
Mr. Earl Jacobson, 628 E. McLeod Ave., Ironwood, Mich.
Bethel, Ishpeming, Mich.
Mrs. Arne Hamari, 722 Bank St., Ishpeming, Mich.
Bethany Lutheran, Kaleva, Michigan
St. John's, Lake City, Michigan
St. Paul's, Box 86, Mass, Mich.
Mr. Herman D. Wentelä, Rte. #1, Mass, Mich.
Wäinölä Evangelical, Mass, Mich.
Mr. Jalmar Lehtimäki, Rte. #1, Mass, Mich.
St. Mark's, 307 W. College Ave., Marquette, Mich.
Earl Hill, 341 E. Crescent, Marquette, Mich.
Finnish Evangelical, Munising, Mich.

Mr. John A. Johnson, 412 W. Munising Ave., Munising, Mich.

Immanuel, U.S. #41 & Baldwin Ave., Negaunee, Mich.
  Mr. Matt Koski, 432 Maitland St., Negaunee, Mich.

Bethlehem, 312 E. Truman Ave., Newberry, Mich. 49868
  Mr. V. A. Kauramäki, 406 E. Harris St., Newberry, Mich. 49868

Our Savior, Paynesville, Mich.
  Mrs. Walter Aho

Our Saviour's, Rt. #1, Box 250, Pelkie, Mich. 49958
  Pastori Edward Groop, Rt. #1, Box 250, Pelkie, Mich. 49958

Bethany, Republic, Mich.
  Mr. Solomon Koski, Republic, Mich.

Faith Lutheran, Rock, Mich.
  Rev. William Avery, Box 155, Rock, Mich.

Trinity, Second & Madison, Stambaugh, Mich.
  Mr. Wäinö Lahti, Sunset Lake, Iron River, Mich.

Trinity, Trout Creek, Mich.
  Mrs. Nels Tahtinen

Zion, Brantwood, Wisc.
  Mrs. Eliina Penttinen, Brantwood, Wisc.

First, 1208 Putnam Blvd., Wakefield, Mich.
  Mrs. Amanda Siro, 505 2nd Ave., Wakefield, Mich.

MINNESOTAN ALUE

St. Paul's, Angora, Minn.
  Sulo Nelmark, Rte. #1, Box 61, Angora, Minn.
St. Mark's, Route 1, Aurora, Minn.
  Mrs. Edward Kiviluoma, Rt. 1, Mäkinen, Minn.
St. Paul's, 10th & Ave. F, Cloquet, Minn.
  Pastori Herbert L. Franz, 106—10th St., Cloquet, Minn.
Messiah, 231 East 2nd St., Duluth, Minn.
  Mr. Adolph Rajanen, 814 N. 9th Ave. E., Duluth, Minn.
Concordia, 116 Adams Ave., Eveleth, Minn. 55734
  Mr. Eli E. Wainio, 616 Garfield St., Eveleth, Minn. 55734
Immanuel, Sparta Location, Eveleth, Minn.
Bethany Evangelical, Floodwood, Minn.
  Mr. George Wayne, Floodwood, Minn.
Holy Trinity, 2018 Seventh Ave. East, Hibbing, Minn.
Holy Trinity, Kettle River, Minn.

Mrs. Helen Peura, Box 57, Kettle River, Minn.
Messiah, Mountain Iron, Minn.
Pastori Richard J. Kennedy, Mountain Iron, Minn.
Evang. Luth., Suomi, Minn.
Mr. Eino Juntunen, Suomi, Minn.
St. John's, John Street & 14th Ave., Superior, Wisc.
Mr. John Hietikko, 1402 N. 7th St., Superior, Wisc.

SUOMI KONFERENSSIIN KUULUVAT PAPIT

Aho, Duane — 30-32 Ellsworth Road, Peabody, Mass. 01960

Aho, Karl N. — Box 24A, Iron, Minn.

Ahonen, Martti — 917 J Street, Reedley, Calif. 93654

Amala, Herbert — 885 E. Grand Blvd., #110, Detroit, Mich. 48207

Anttila, Philip A. R. — 6524 Country Place, Sylvania, Ohio

Aukee, Henry T. — 922 E. 11th St., Duluth, Minn. 55805

Autere, Samuel V. — P.O. Box 753, Wakefield, Mich.

Avery, William — Box 155, Rock, Mich. 49880

Ecola, Leander J. — 11645 Frankstown Rd., Pittsburgh, Pa., 15253

Ekola, Giles C. — 151 N. Wright St., Naperville, Ill.

Elm, David J. — Chassell, Mich.

Foltz, Rodger N. — R.F.D. #2, Box 97A, Cortland, Ohio 44410

Groop, Edward M. — Route #1, Box 250, Pelkie, Mich. 49958

Halinen, Martin — P.O. Box 38, South Range, Mich. 49963

Hallberg, Oliver A. — 113 South Curry St., Ironwood, Mich. 49938

Hautamäki, E. Albert — 215 Maple St., Ishpeming, Mich.

Heiman, Viljo — 187 Eastern Ave., Worcester, Mass.

Heinilä, Pellervo — 264 MacKenzie St., Sudbury, Ont., Canada

Heino, John F. — 1225 South Ave., Reedley, Calif.

Hetico, Robert P. — 712 N. Fountain Ave., Springfield, Ohio

Hillilä, Bernhard H. P. — California Lutheran College, Thousand Oaks, Calif. 91360

Holmes C. Raymond — Sharon Lutheran Church, Moore and Sellar Streets, Bessemer, Michigan 49911

Holmio, Armas K. E. — Suomi College, Hancock, Mich.

Isaacson, Lauri J. — 7104 39th Ave., Kenosha, Wisc.

Jalkanen, Ralph J. — Suomi College, Hancock, Mich.

Järvinen, Tauno W. — Box 85, Eben Junction, Mich.

Joensuu, Mathias N. — 488 Marion Road, Middleboro, Mass.

Johnson, Melvin L. — Rt. 1, Box 2141, Aurora, Minn. 55705

Junttila, John M. — Box 10, Chassell, Mich.

Kalliomaa, Maunu — Seventh St., Fairport Harbor, Ohio

Kangas, Henry R. — 50 Belcher St., San Francisco 14, Calif.

Karjala, Ahti M. — 514 Cypress St., Manistee, Mich. 49660

Keljo, Karlo J. — Box 31, Village Rd. E., Butch Neck, N. J.

Kemppainen, Rudolph — 1208 Putnam Blvd., Wakefield, Mich.

Koponen, Donald E. — 2133 N. Skidmore Court, Portland, Oregon 97217

Korhonen, Anton — 350 Whipple St., Fort Bragg, Calif.

Korhonen, Armas — 282 Greenfield Avenue, Willowdale, Ont. Canada

Korhonen, Arvo Johannes — 221—2nd St. N., Virginia, Minn. 55792

Korila, Frans Iisakki — 22 King St., Kirkland Lake, Ont. Canada

Koski, Alex William — 2018—7th Ave. E., Hibbing, Minn. 55746

Koski, Frans J. — Box 21, Pelkie, Mich. 49958

Kunos, J. Eugene — 1003 Lewis St., DeKalb, Ill. 60115

Kuusisto, Tom — Hinckley, Minn.

Kuusisto, Wayne V. — 1263 Franklin Ave., Astoria, Ore. 97103

Kyllönen, Edwin A. — 30 Mattson St., Fitchburg, Mass. 01420

Lehti, Donald H. — 4003 W. Adams Blvd., Los Angeles, Calif.

Leino, Henry William — 431 Fifth St., Fairport Harbor, Ohio 44077

Lepisto, Antti — Mass, Mich.

Lepisto, Eli — 835 Vermont Ave., New Port Richey, Fla.

Leppäluoto, Edward A. — Box 385, Gwinn, Mich.

Linna, John — P. O. Box 187, Trout Creek, Mich.

Lurvey, Leslie G. — 64 Bogert Ave., Willowdale, Ont. Canada

Mäki, Otto E. — 2529 West 16th St., Ashtabula, Ohio

Marin, Amos — Box 94, Kaleva, Mich.

Niemi, Leslie E. — Republic, Mich.

Niemi, Wayne W. — 3663 Parkman Rd. S.W., Warren, Ohio

Nikander, Viljo K. — Wagner College, Staten Island 1, New York

Ollila, Douglas, Jr. — Thiel College, Greenville, Pa.

Ollila, Douglas, Sr. — 909 South E St., Box 221, Lake Worth, Florida

Paananen, Paavo V. — 368 Cedar St. N., Timmins, Ont. Canada

Pikkusaari, Lauri T. — P.O. Box 666, Ogema, Wisc. 54459

Puotinen, Viljo A. — 16571 Marlowe, Detroit, Mich. 48235

Rankinen, E. Olaf — R.D. #2, Camp Mowana, Mansfield, Ohio 44903

Rautalahti, Alvar — 300 Stewart Ave, Waukegan, Ill.

Rosenberg, Toivo V. — 508 Eagle St., Fairport Harbor, Ohio

Ruohomäki, G. Wilbert — 407 Michigan Ave., Crystal Falls, Mich.

Ruohoniemi, Mathias R. — Box 85, Kaleva, Mich. 49645

Saarinen, Daniel Edwin — 423 Reed Ave., Monessen, Pa. 15062

Saarinen, John F. — 1812 West 14th St., Ashtabula, Ohio

Saarinen, Martin F. — 1715 W. Tenth St., Ashtabula, Ohio 44005

Saarisuu, Arvi Henry — 304 E. 93rd St., New York, N. Y. 10028

Salim, Raymond — Lake Norden, South Dakota 57248

Sallmen, Matt — 315 E. Conan St., Ely, Minn., 55731

Sarvela, William R. — 912 Baldwin Ave., Negaunee, Mich. 49866

Setälä, Alpo — 2411 Laurel Ave., Sanford, Florida

Siirala, Arne J. — 160 Albert St., Waterloo, Ont. Canada

Terrio, Gary — Bruno, Minn. 55712

Torkko, Evert E. — 312 E. Truman Ave., Newberry, Mich.

Törmälä, Wilbert H. — 750—44th St., Brooklyn, N. Y. 11220

Valanne, Kari — 83 White Oak Dr., Sault Ste. Marie, Ont. Canada

Vehanen, Eino J. — Tamagawa House, 139 Higashi Tamagawa-Cho Setagaya-ku, Tokyo, Japan

Wargelin, John — 3821 N. Bartlett Ave., Milwaukee 11, Wisc.

Wargelin, Raymond W. — 2445 Park Ave., Minneapolis, Minn. 55404

Werronen, Walter W. — 1300 Rose St., Berkeley, Calif. 94702

Wilkman, Karl G. — Floodwood, Minn.

Wilkman, Martti J. — P.O. Box 1, Naselle, Wash.

Yrttimaa, John — 1500 McGregor Ave., Montreal 25, Quebec, Canada

Muistosanoja vainajista

PASTORI HERMAN MATERO sai iäisyyskutsun Alamossa, Calif. jouluk. 22 pnä 1963 vuosia jatkuneen vaikean sairauden jälkeen 63 vuoden ikäisenä. Hän syntyi heinäk. 13 pnä 1900 Baragassa, Mich.; vanhemmat olivat Abel ja Miina Matero. Opiskeltuaan Suomi-Opistolla ja Ferris Institutessa sekä suoritettuaan Hancockin jumaluusopillisen seminaarin kurssin hänet vihittiin papiksi Hancockin kirkossa toukok. 28 pnä 1924. Hän hoiti seuraavia Suomi-Synodin seurakuntia: Van Etten, N. Y., 1924—1926; San Franciscon ja Berkeleyn seurakuntapiiriä Californiassa 1926—1929; Michiganin Ironwoodin seurakuntapiiriä 1929—1947; Virginia, Minn. 1947—1951; Negauneen seurakuntapiiriä 1951—1955; Lake Worth, Florida, 1955—1956. Viimemainittuna vuotena oli hänen pakko heikontuneen terveyden vuoksi luopua täysiaikaisen seurakuntapapin tehtävistä, mutta riutuvilla voimillaan hän vielä ponnisteli evankeliumin saarnaajana ensin Fort Braggissä ja sitten Los Angelesissa. Hän meni avioliittoon v. 1924 Bertha Susanna Laakson kanssa; heille syntyi neljä tytärtä ja neljä poikaa. Pastori Matero palveli kirkkokuntaa monessa luottotehtävässä, esim. kotilähetysjohtokunnan t.p.jht., Kustannusliikkeen johtokunnassa, Michiganin Konferenssin esimiehenä. Pastori Materon hengellisen elämän juuret olivat syvällä evankelisessa liikkeessä. Kristus autuutemme ainoa perustus, oli pohjasävelenä hänen hyvin valmistetuissa saarnoissaan. Muistotilaisuudet vainajalle pidettiin ensin Berkeleyssä, Calif., jossa pastorit Walter Werronen ja Henry R. Kangas toimivat. Vainaja haudattiin Negauneen, Mich. Immanuel kirkosta (jota hän oli palvellut aikoinaan), past. William Sarvela ja tri Raymond W. Wargelin toimien ja monen pappisveljen sekä ystävien ja omaisten saattamana. Kaipaamaan jäävät vaimo; 4 tytärtä, Helga, Ruth, Irene ja Sylvia; 4 poikaa, Phillip, August, Gilbert ja Paul; 1 veli, Abel 2 sisarta, Elvi ja Eleanore ja 21 lastenlasta.

—R. W. W.

OTTO ja ELIZABETH KOSKINEN. Isämme Otto W. Koskinen kuoli Ishpemingissä, Mich. heinäkuun 4 p. 1964. Hän oli syntynyt Isokyrössä elokuun 3 p. 1888 ja muutti Amerikkaan vuonna 1910. Hän meni avioliittoon Elizabeth Koskisen kanssa vuonna 1907. Äitimme kuoli Ishpemingissä, Mich. huhtikuun 17 p. 1958. Hän oli myös syntynyt Isokyrössä helmikuun 14 p. 1889 ja tuli Amerikkaan vuonna 1912. Isämme työskenteli Dioretin kaivannossa, muuttaen perheineen vuonna 1924 Palmeriin, Mich., jossa hän palveli M. A. Hanna kaivosyhtiön Richmond kaivannossa, käyttäen höyry- ja sähkölapiota vuoteen 1954, jolloin hän siirtyi eläkkeelle. He olivat molemmat Concordia ev.-lut. seurakunnan jäseniä. Isä johti tämän seurakunnan kirkon rakennustöitä vuonna 1949.

Papilliset tehtävät toimitti äidille pastori Ahti Karjala ja isälle pastorit Frederick Vanhala ja Edward Leppäluoto . Isä oli myös Kalevan Ritarien jäsen.

Meitä lapsia jäi suremaan ja kaipaamaan neljä poikaa ja kuusi tytärtä, Kalle ja Leonard, San Diego, Calif.; Robert, La Mesa, Calif.; Arthur, Flint, Mich.; mrs. Leo Pekley (Anni), Vancouver, Wash.; mrs. Sanfri Kakkula (Aili) ja mrs. Robert Turino (Helen), Ishpeming, Mich.; mrs. Paul Novotny (Agnes), Cleveland, Ohio; mrs. Arne Hill (Audrey), Negaunee, Mich., ja mrs. Clarence Anderson (Norma), Colorado Springs, Colo., sekä 32 lastenlasta.

Kotimme, jossa saimme nauttia isän ja äidin rakkaudesta ja oppia kristillisen elämän periaatteita, on nyt kylmä. Siitä huolimatta, se rikas perintö, jonka saimme vanhemmiltamme, johtaa meitä eteenpäin elämässä ja antaa meille voimaa ja toivoa elämän tielle.

MRS. ANNA L. LEPPÄNEN (o.s. Kinnunen), rakas äitimme, sai kotiinkutsun Grand View sairaalassa, Ironwood, Mich., heinäkuun 22 p. 1948. Hän oli syntynyt Karstulassa, Suomessa toukokuun 9 p. 1878. Vihittiin avioliittoon Gideon Leppäsen kanssa Ironwoodissa heinäkuun 13 p. 1901, josta avioliitosta syntyi 9 lasta, 7 tytärtä ja 2 poikaa. Kuului jäsenenä Pyhän Paavalin seurakuntaan Ironwoodissa yli 40 vuotta, toimien useissa luottamustehtävissä. Haudattiin St. Paul's kirkosta heinäkuun 24 p., pastori A. Stadius toimittaen viimeisen palveluksen.

GIDEON LEPPÄNEN, rakas isämme, kuoli Wakefieldin, Mich. sairaalakodissa kesäkuun 23 p. 1964, ollen 86 v. ikäinen. Oli syntynyt Kivijärvellä, Suomessa tammikuun 27 p. 1878. Työskenteli ensin rautamaineissa ja oli maanviljelijänä yli 40 vuotta Ironwoodin eteläkylällä. Haudattiin kesäkuun 27 p. St. Paul's kirkosta, pastori O. A. Hallberg toimien.

Suremaan jäivät 7 tytärtä ja 2 poikaa, nimittäin mrs. Ed. (Lillian) Smith, Linden, New Jersey; mrs. J. V. (Fanny) Mäkinen, Milwaukee, Wis.; mrs. Herman (Anna) Hill ja mrs. Glenn (Ida), Detroit, Mich.; mrs. Malcolm (Elsie) Nelson, Manistique, Mich.; John, Akron, New York mrs.; Charles (Lempi) Siirilä, mrs. William (Ruth) Korpi ja Lloyd Ironwoodissa; 22 lastenlasta ja 25 lastenlastenlasta.

—Lapset

"Jopa loppuu päivän vaiva,
Ehtoo levon mulle tuo.
Rasitetun täällä aivan
Herra rauhaan mennä suo."

194

MARIE RHODA ELIZABETH WARGELIN, o.s. Hoikka, kuoli sydänkohtaukseen kodissaan Milwaukeessa jouluk. 6 pnä 1963 78 vuoden ja 11 kuukauden ikäisenä. Hän oli syntynyt tohtori ja mrs. J. J. Hoikan esikoislapsena Astoriassa, Ore. Vanhempien koti oli Astorian lisäksi Ruotsin Haparannassa sekä Michiganin East Tawasissa, Republicissa sekä Crystal Fallsissa, joilla paikkakunnilla vainajan isä oli sekä Augustana kirkkokunnan että Suomi Synodin seurakuntien pappina. Vainaja oli Augustana Collegen musiikkiosaston graduaatti sekä opiskeli Suomi-Opistolla vuosina 1904 ja 1905. Tammikuun 6 pnä 1907 hän solmi avioliiton John Wargelinin kanssa. Vainaja oli erittäin musikaalinen, toimien urkurina seuraavissa Suomi-Synodin seurakunnissa: Evelethissä, Duluthissa ja Minneapolissa, Minn., Illinoisin Waukeganissa sekä Hancockissa, Republicissa ja Negauneessa, Mich.; hän oli solistina sekä säestäjänä monessa kirkollisessa ja kansallisessa tilaisuudessa. Pappilakodin vieraanvaraisena emäntänä monissa seurakunnissa, joita puolisonsa hoiti, hän voitti itselleen lukuisia ystäviä. Laajempiin kosketuksiin hän joutui miehensä, tri John Wargelinin ollessa Suomi-Opiston johtajana ja Suomi-Synodin esimiehenä. Muistotilaisuudet vainajalle pidettiin ensin Bay Shoren Lut. kirkossa Milwaukeessa, jossa tri O. V. Anderson toimi ja jouluk. 10 pnä P. Matteuksen kirkossa Hancockissa, Suomi-Opiston johtajan past. Ralph Jalkasen pitäessä suomen- ja englanninkieliset muistopuheet. Lähinnä jäivät vainajaa kaipaamaan puoliso, tri John Wargelin, Milwaukee, Wis.; tytär, mrs. Soine (Sylvia) Törmä puolisoineen, Milwaukee, Wis.; sekä pojat, maisteri Philip Wargelin, Pontiac, Mich. ja tri Raymond W. Wargelin, Minneapolis, Minn. puolisoineen sekä 6 lastenlasta, 3 lastenlastenlasta ja laaja ystäväpiiri.

—R. W. W.

CARL HENRY KORPELA syntyi
Wakefieldissä, Mich. kesäk. 4 p. 1924
ja kuoli heinäk. 4 p. 1963 Clovisissa,
Calif. 39 vuoden ikäisenä. Palveli toi-
sessa maailmansodassa mariini-osas-
tossa. Suomi-Opistosta hän graduoi
v. 1949; luki yhden vuoden seminaa-
rissa; siirtyi Gustavus Adolphus
opistolle, St. Peter, Minn., saaden
sieltä B.A. arvon. Opetti yhden vuo-
den Reederin N. D. koulussa; siirtyi
Californiaan, jossa hän toimi useat
vuodet neuvonantajana rikollisten
nuorten poikain leirillä. U.C.L.A. yliopistosta hän sai
maisterin arvon ja on toiminut Kerman korkeakoulun
prinsipaalina viimeiset kolme vuotta. Hän oli jäsen
Christ Lutheran kirkossa, Clovis, Calif.

Vainaja rakasti koko elämänsä kaikkea suomalaista.
Hän oli lännen piirin Suomi-Opiston Alumni yhdistyksen
puheenjohtajana. Suomi-Opisto oli lähellä hänen sydäntä;
sen puolesta hän puhui, kirjoitti ja toimi. Hän kuului
Fresnon, Calif. V.F.W. järjestöön, Rotary Clubiin ja
California Administrators Associationiin.

Hän avioitui Irene Ruth Wallnerin kanssa Chicagossa
marraskuun 22 p. 1952, josta liitosta syntyi tytär, Chris-
tina Susan.

Suremaan jäi jälleennäkemisen toivossa isä, äiti, vaimo
ja tytär; sisaret: mrs. Toivo (Mildred) Dahlbacka, Wau-
kegan, Ill.; mrs. Ivan (Ingrid) Natthollin, Santa Maria,
Calif., ja mrs. Oiva (Rauha) Salli, Ironwood, Mich.

Hänet haudattiin heinäkuun 8 p. 1963 Clovisin, Calif.
kauniiseen kalmistoon odottamaan ylösnousemuksen iha-
naa aamua. Kallen appi-isä, Rev. William E. Wallner,
siunasi haudan ja puhui hänen muistolleen, Rev. Phillip
Jordanin avustamana. Hänen muistolleen vietettiin muis-
tojumalanpalvelus Wakefieldin kirkossa elok. 30 p. 1963.
Hänen muistolleen on Scholarship Suomi-Opistolla sekä
Kerman Union High School'issa.

Sinne suuren kukkakummun alle jäit rakkaamme. Pal-
jon rakastit kaikkea hyvää ja kaunista ja paljon sait
myös rakkautta osaksesi.

Isä, äiti, puoliso, tytär, sisaret ja veljet

TYNE MARIA KOSKI (o.s. Mattila) nukkui kuolonuneen uskossa Vapahtajaansa sydänkohtauksen murtamana toukok. 22 p. 1964 St. Luke's sairaalassa, Marquette, Mich., 65 vuoden ikäisenä. Hän oli elämän matkan urhoollisesti kilvoitellut, uskonsa säilyttänyt, iankaikkisuuden seppeleen voittanut, jonka laupeuden Herra on antava kaikille vanhurskaille ylösnousemuksen päivänä.

Hän oli syntynyt Suomessa, Siikaisten pitäjässä heinäk. 1 p. 1898 ja tullut pikku tyttönä vanhempiensa kanssa tähän maahan, asettuen asumaan Negauneeseen, Mich. Kävi korkeakoulun Negauneessa ja sen jälkeen opiskeli opettajan alalle Northern State Normal koulussa Marquettessa. V. 1915 muutti vanhempiensa kanssa asumaan Rockiin, Mich., jossa hän opetti koulua useamman vuoden. Hän oli Rockin seurakunnan uskollinen jäsen, toimien 35 vuotta urkurina ja kuoron johtajana ja monella muulla tavalla valvoi kirkon työtä, jota hän rakasti.

Vuonna 1925 hän avioitui Charles Harjun kanssa ja heille syntyi 3 lasta. Hänen miehensä Charles nukkui kuolonuneen lyhyen sairauden jälkeen vuonna 1937. Tyyne jäi yksin huolehtimaan lapsistaan, joista nuorin oli 6 kuukauden vanha. Ollen leskenä 8 vuotta, hän meni jälleen avioliittoon John E. Kosken kanssa vuonna 1945 ja piakkoin sen jälkeen muuttivat Rockista Negauneeseen, Mich. asumaan, jossa ovat asuneet 15 vuotta, ja ahkerasti jatkaen työtä Herran seurakunnan hyväksi jäsenenä Immanuel Lutheran seurakunnassa.

Hautaus toimitettiin toukokuun 25 p. Immanuel Lutheran seurakunnan kirkon kautta ja ruumis kätkettiin Negauneen hautausmaahan, suurella tuttavien ja ystävien osanotolla, odottamaan ylösnousemuksen aamua. Pastori Wm. R. Sarvela toimitti viimeisen siunauksen. Kuolema oli hänelle satamaan saapumista, päivän työ oli päättynyt, iltahetki tullut ja levolle oli laskettava, herätäkseen uuteen aamuun Jumalan tykönä taivaassa.

Lähinnä jäivät häntä kaipaamaan puolisonsa, 2 poikaa, Dennis ja David Harju, yksi tytär, mrs. Joanne Liuha, kaksi lastenlasta, Michael Harju ja Kathy Liuha ja sisko Pearl Mattila.

Häntä muistaen, kiittäen tähtensä Herraa,

John E. Koski, puoliso

 ALEXANDER UOTI, rakas puolisoni, joka oli syntynyt Iso-Uodin tilalla Urjalassa, Suomessa, syyskuun 20 p. 1884, kuoli äkkiä sydänhalvaukseen Waukeganissa, Ill. huhtik. 3 p. 1964, lähes 80 vuoden iässä, autettuaan sitä ennen tuntemattoman, tuulessa maahan kaatuneen vanhan miehen suojaan ja turvaan.

Alexander Uoti oli Suomessa käynyt kauppa- ja maanviljelyskoulun, saapui Yhdysvaltoihin Waukeganiin, Ill. 1909, avioitui miss Hilma Wiklundin kanssa syysk. 19 p. 1919 sekä suoritti elämäntyönsä täällä Waukeganissa, toimittuaan 15 vuotta Cyclone Fence Co:ssa, sittemmin rakennusalalla ja vihdoin Finnish Mercantile Co:n ja Co-Op. Trading Co:n palveluksessa 25 vuotta, siirtyen eläkkeelle v. 1954. Hänen työtään ja toimintojaan leimasi aina uskollisuus, taito ja palvelushalu.

Tätä sai runsain mitoin osalleen kokea m.m. Waukeganin Suom. Ev Luth. Seurakunta, jonka uskollinen jäsen hän oli, kuuluen kymmenet vuodet seurakunnan kirkkoneuvostoon ja sen rakennustoimikuntiin. Kristuksen rakkaus, johon hän lujasti uskossa turvautui, vaati häntä palvelustehtäviin kirkkoaan ja lähimmäisiään kohtaan. Koti, perheensä ja kirkko olivat hänelle erittäin rakkaat. Vakavana, hiljaisena, luonteeltaan leppoisana ja luotettavana hän oli saavauttanut laajan ystäväpiirin. Häntä jäivät syvästi kaipaamaan allekirjoittaneen kanssa tytär Sally, vävy korkeakoulunopettaja Roy Kiiskilä ja heidän lapsensa, muut omaiset ja ystävät. Hautaus oli huhtik. 6 p. 1964 Waukeganin St. Mark's Lutheran kirkosta, pastori R. P. Hetico toimien. Muistojuhlassa kirkossa puhui myöskin tri A. Rautalahti. Viimeisen leposijansa sai vainaja perhehaudassaan Northshore Garden of Memories kauniissa hautausmaassa. Past. R. P. Hetico siunasi Jumalan sanalla haudan.

Kiitos rakkaudestasi—kiitos kaikesta, rakas Aleksi!

Hilma Uoti, puoliso,

Sally Kiiskilä, tytär, o.s. Uoti,

Roy Kiiskilä, vävy, sekä Jerrill ja Gary

198

JACOB TAURIAINEN, 75 v., syntynyt Suomussalmella, Alanäljänkän kylässä lokak. 1 p. 1887, sai nukkua kuolonuneen uskossa Vapahtajaan Maarianpäivänä 1963 Royal Oakissa, Mich. Oli tullut Detroitiin vaimonsa kanssa 4 kuukautta aikaisemmin lasten luo viettämään talvea. Saapunut Amerikkaan v. 1909, asuen Nisulan, Mich. alueella, ollen maanviljelijä ja seppä. Teki Suomi-matkan v. 1959. Avioitui Manda Räisäsen kanssa heinäk. 5 p. 1912 Hancockissa, Mich. Kuului jäsenenä Nisulan St. Henryn ev.-lut. seurakuntaan, jossa toimi useamman kymmenen vuoden johtokunnan esimiehenä sekä Kyrön seurakuntapiirin puheenjohtajana. Muistotilaisuus oli Detroitissa, Mich. maalisk. 27 p.; past. Eino Tuori puhui. Hautajaiset olivat Nisulassa St. Henryn kirkosta kirkon viereiseen hautausmaahan maaliskuun 29 p., past. Lauri Pikkusaari toimien.

MANDA TAURIAINEN, o.s. Räisänen, 76 v., nukkui uskossa Vapahtajaan kesäk. 11 p. 1963, sairastettuaan 10 vuotta. Oli syntynyt Suomussalmella jouluk. 10 p. 1886. Tuli Amerikkaan v. 1910 ja asui Nisulan alueella paitsi vähän aikaa Rock Springsissä, Wyo. Vihittiin avioliittoon Jacob Tauriaisen kanssa heinäk. 5 p. 1912 Hancockissa, Mich. Muistotilaisuus oli Detroitissa kesäk. 12 p.; past. Eino Tuori puhui. Hautajaiset olivat Nisulassa St. Henryn kirkon kautta kesäk. 14 p. kirkon hautausmaahan, past. Lauri Pikkusaari toimien. Lähinnä kaipaavat 3 tytärtä, Impi Katherine Dollar ja Anna Coffman Detroitissa, Emma Hall Ypsilantissa; 2 poikaa, Arthur ja John Veikko, Oak Park, Mich.; 14 ll., 7 lll., 2 miniää ja 3 vävyä, äidin sisar Alina Parsiala, Lake Linden, Mich., veli Aatu Suomessa, isän 1 sisar, Mary Niemi, Mass, Mich. ja 2 sisarta, Saimi Räisänen ja Hilda Heikkinen sekä veli Isaac Suomessa. — Lapset.

EVA LILLIAN SYLVIA WAINIO
syntyi Mt. Ironissa, Minn. helmik. 19
p. 1913. Hän sai elämän Herralta
kutsun Virginian sairaalassa huhtik.
19 p. 1964 siirtyä täältä ajan vaivoista lyhyen sairauden jälkeen sinne jossa on iäinen ilo ja rauha.
Muistotilaisuus pidettiin Messiah
Luth. kirkossa Mt. Ironissa, pastori
Thomas Kuusisto toimien suuren sukulais- ja ystäväjoukon läsnäollessa.
Hänen tomumajansa kätkettiin perhehautaan isänsä viereen huhtikuun 21
p. 1964.

Eva oli luonteeltaan palveleva ja ystävällinen, joten hänestä jäi kaunis ja siunaava muisto kaikille. Korkeakoulusta päästyään hän opiskeli Suomi-Opistolla ja siellä koulunsa päätettyään hän toimi liikealalla, ollen vuosia konttoripäällikkönä Metropolitan henkivakuutusyhtiöllä Duluthissa, Minn. Lapsen mielellä hän luotti Jeesukseen Kristukseen Vapahtajaansa odottaen Jeesuksen luo pääsyä. Viime hetkinään antamansa tunnustus "Minä olen Jumalan oma" jäi kehoittamaan meitä jälelle jääneitä omaisia ja muita läheisiä kilvoittelemaan hyvä uskon kilvoitus, että kerran pääsisimme Jumalan lasten osuutta nauttimaan taivaassa.

Rakkaudella ikävöiden häntä kaipaamaan jäi kaksi veljeä, Ero perheineen New Port Richeyssä, Fla. ja Eli perheineen Evelethissä, Minn.; äitinsä Mt. Ironissa, Minn. Myös suuri ystäväin joukko laajalla alalla häntä kiitollisena muistelee.

Vaan koska meidät kerran
Maan päältä korjataan,
Pääsemme luokse Herran
Ilohon ihanaan.
Me kirkkaudessansa
Näemme Jumalan
Ja Hänen valossansa
Kaikk' ihmeet taivahan.

Me näemme rakkahamme
Eronneet uskossa,
Omaiset armaimpamme
Tavataan taivaassa.
Ja heidän seurassansa
Veisaamme riemuiten
Valittuin kaikkein kanssa
Kiitosta Herralle.

Äiti ja veljet

CHARLES A. KUKKONEN, pitkäaikainen ja hyvin tunnettu valokuvaaja Hancockissa, Mich., syntyi Muhoksella, O. l. Suomessa lokakuun 19 p. 1889, kuoli Los Angeles'issa, Calif. kesäk. 4 p. 1963, 73 v. 7 kk. ja 16 p. ikäisenä.

Mr. Kukkonen saapui Yhdysvaltoihin v. 1903 ja aloitti kuvaamo toimintansa 16 vuoden ikäisenä, toimien ensiksi apulaisena Louis Augerin liikkeessä. V. 1910 hän avasi oman liikkeensä ja muutti liikepaikkaan Hancockin valtakadulle v. 1917. V. 1953 hän siirtyi eläkkeelle, jonka jälkeen hän vietti talvikuukaudet Alhambrassa, Calif. ja kesäkuukaudet Hancockissa.

Avioliittoon hänet vihittiin Amanda Grekilän kanssa Hancockissa v. 1918. Tästä aviosta syntyi kaksi lasta, Carl Kukkonen, joka jatkaa isänsä valokuvaamo-liikettä Hancockissa ja tytär, mrs. Helen Bjork, Marquettessa, Mich. Mrs. Kukkonen kuoli v. 1952. V. 1955 hänet vihittiin avioliittoon mrs. Agda Kandelinin kanssa.

Mr. Kukkonen oli Pyhän Matteuksen seurakunnan jäsen, toimien seurakunnan johtokunnassa ja seurakunnan rahastonhoitajana monet vuodet; hän on myös ollut Suomi Opiston johtokunnan jäsen sekä sen rahastonhoitaja.

Ensimmäisen maailmansodan aikana hän palveli Camp Custer asemalla, Battle Creek, Mich.; oli Alfred Erickson vartion, Vapaamuurarien, Kalevan Ritarien, y.m. yhdistyksien jäsen.

Suremaan jäivät puoliso, Agda; tytär, mrs. Clarence (Helen) Bjork perheineen; poika, Carl perheineen; tytärpuoli, mrs. Irene Smith; 8 lastenlasta; 3 veljeä, Jack Hancockissa, Matt Elossa ja Peter Houghtonissa.

Hautajaiset olivat Hancockin Pyhän Matteuksen kirkon kautta kesäk. 7 p. Ruumis kätkettiin Lakeside hautausmaahan.

SOPHIA MACKEY (o.s. Palssi) nukkui vanhurskasten lepoon toukokuun 24 p:nä 1964 pitkällisen sairauden murtamana, ollen 80 v. 7 kk. 3 p:n vanha. Mrs. Mackey oli syntynyt lokakuun 21 p:nä 1883 Laihiaila, Suomessa ja tuli Yhdysvaltoihin joulukuussa 1900, vihittiin avioliittoon John Mackeyn (Myllymäki) kanssa marraskuun 25 p:nä 1904 Fairport Harborissa, Ohiossa. Tuli miehensä keralla Kaliforniaan, Hawthorneen, marraskuussa 1948. Poisnukkunutta kaipaamaan puolison ohella jäi pojat Jack ja Thomas sekä tyttäret, mrs. Jennie Laakso, mrs. Tyne Kiikka, mrs. Ann Chmelik ja mrs. Emely Maenpa, lasten puolisot, kuusi lastenlasta ja yhdeksän lastenlastenlasta sekä laaja ystäväjoukko. Myös Los Angelesin Suom. Lut. Seurakunta muistaa uskollista jäsentään.

"Silmäni uneen ottakoon ja ruumiini rauhas levätköön
Sieluni Herra siunatkoon ja Herra meitä varjelkoon,
Ettei raskas uni meitä vahingoittaisi,
Ettei vihollinen meitä raatele,
Vaan Herra Jeesus Kristus paistaa niinkuin auringon
terä
ja vie meidän sielumme Aabrahamin helmaan,
paratiisin iloon."

Rakkaudella kaivaten—*omaiset*

MRS. ELIZABETH LUHTALA nukkui pois autuaallisten uneen syyskuun 15 pnä 1963. Kuolema saavutti hänet yöllä. Omaiset löysivät hänet aamulla kädet ristissä hiljaisena ja rauhallisena. "Rauhassa minä käyn levolle ja nukun, sillä Sinä Herra yksin annat minun turvassa asua." Autuas on se ihminen, joka näin voi mennä iltalevolle, mutta ennenkaikkea autuas on se ihminen, joka elämänsä viimeisenä iltana voi Kristuksen rauhassa panna päänsä sille päänalukselle, jonka Herra voi antaa.

Elizabeth Luhtala, o.s. Steiman, oli syntynyt Väyrissä, V. l., lokak. 24 pnä 1877 ja kävi rippikoulun Ylihärmässä. Vuonna 1898 saapui Whitingiin, Indianaan ja sieltä DeKalbiin. Marrask. 11 pnä 1899 hän oli solminut avioliiton John Luhtalan kanssa, pastori Stark, DeKalbin ruotsal. seurakunnan pastori, toimien. Perheeseen syntyi 7 lasta, joista 6 on elossa. Mrs. Luhtalaa kaipaamaan jäivät pojat Wäinö Elginissä ja Toivo Jolietissa, Ill., sekä tyttäret R. Gaylord, Masillion, Ohio; mrs. Carl Munson, DeKalb; mrs. P. Street, Lexington, Ky., ja Vieno Luhtala, Maywood, Ill.; 2 lastenlasta ja 2 lastenlastenlasta, ynnä muut sukulaiset ja ystävät. Puoliso kuoli elokuun 1 p. 1939 ja poika Urho 3-vuotiaana.

Mrs. Luhtala oli Bethlehem seurakunnan, ompeluseuran ja pakanalähetysseuran yksi uskollisimmista jäsenistä. Jumala on säästänyt hänet kärsimyksistä ja pitkän iän aikana on sallinut hänen osallistua valtakuntatyöhön. Olkoon muistonsa siunattu.

—J. E. K.

LAURI ILMARI SALOMAA nukkui kuolonuneen Victory Memorial sairaalassa, Waukegan, Ill., toukokuun 20 pnä 1964. Kuoleman aiheutti sydämen heikkous. Hän oli syntynyt Sahalahdella Hämeen läänissä, myöhemmin asuen Pälkänneellä. Jättäen syntymäseutunsa kauniin Hämeen hän nuorena poikana saapui siirtolaisena Amerikkaan, ensiksi Chicagoon ja sieltä Waukeganiin, Ill. Täällä hän avioitui Maria Rätin kanssa huhtikuun 17 pnä 1917. Tästä aviosta heille syntyi yksi tytär, Norma. Vaimo Maria Salomaa kuoli marraskuun 14 pnä 1962.

Hyvää isää jäi suremaan tytär Norma (Salomaa) McKean ja tämän mies LaMont, kaksi tyttären tytärtä mrs. Marsha Keske ja Marlyn McKean, 1 lapsenlapsenlapsi, pieni Scott, josta isoisoisä usein puhui niin suurella rakkaudella.

Ilmari Salomaa kuului St. Marks'in seurakuntaan ja palveli sitä monin eri tavoin, kuuluen sen kirkkoneuvostoon, jossa toimi kirjurina useita vuosia. Hän oli yksi uskollisimmista laulajista suom. kirkkokuorossa kymmeniä vuosia. Tulemme kaipaamaan hänen kaunista bassoääntänsä, joka ei enää kaiu.

Kauniina kevätpäivänä hänen tomumajansa kätkettiin North Shore Garden of Memories puolisonsa Marian viereen. St. Marks'in kirkon alttarin luota kulki hänen viimeinen matkansa. Pastori Robert P. Hetico siunasi hänet haudan lepoon. Yksi kuoron viime talvena laulamista lauluista oli:

"Pian taivahan rannalla riemuitahan,
Siell' on kyynelet pyyhitty pois,
Ja mä toivon ett' mullakin tuotavana
Lyhde pienoinen Herralle ois."

SAMUEL SIURUA syntyi helmikuun 22 p. 1860, tuli Amerikkaan, Hancockiin, Mich. v. 1882, missä oli mainarina. Meni avioliittoon Matilda Seppäsen kanssa vuonna 1900; tulivat Swartwautiin, Miss., nykyinen Pecan, Miss., jossa olivat maanviljelijöinä. Isä kuoli kotonaan Jeesuksen armoon uskoen sydänhalvaukseen 11-2-1935. Pastori Otto Mäki toimitti hautauksen seurakunnan hautausmaahan, Kreole, Miss.

MATILDA SIURUA, o.s. Seppänen, syntyi 6-25-1869 Suomussalmella, O. l., tuli Amerikkaan Hancockiin, Mich. v. 1888, kuoli Pecanissa, Miss 1-16-1948 pitkän sairauden ja halvauksen heikentämänä uskossa Vapahtajaansa. Pastori Fredrick A. Graef toimitti hautauksen seurakunnan hautausmaahan. Olivat perustavia jäseniä ev.-lut. seurakunnassa Kreolessa, Miss. Heiltä jäi 2 tytärtä, Aina Lempi Pikka ja Esteri Elisabeth Rollins; 5 poikaa, Edward, Fred, Yrjö ja heidän vaimot, Uno Albert kuollut, William ja Urho yksinäisiä; 7 lastenlasta ja 3 lastenlastenlasta. Suokoon Jumala siunauksensa isän ja äidin muistolle.

Lapset ja lastenlapset

KRISTIAN HARJU sai äkillisesti muuttaa Isän kotiin maalisk. 25 p. 1955 kotonaan Brantwoodissa, Wis. Hän oli syntynyt Kauhajoella, Suomessa kesäk. 12 p. 1878. Oli kuollessaan 76 vuoden ikäinen. Vihittiin avioliittoon Aurora Niemen kanssa Kauhajoella v. 1895. Heille syntyi 9 lasta. Elossa ovat mrs. Toivo (Hilda) Mäki, Brantwood, Wis.; mrs. Lawrence (Sanni) Kelly, Miami, Fla.; mrs. Lawrence (Taimi) Walsh, Irma, Wis.; mrs. Kenneth (Martha) Tarkelson, Riverside, Calif.; mrs. Millie Baldwin, Riverside, Calif.; 1 poika, John Harju, Buck Lake, Minn.; 12 lastenlasta ja 15 l.-l.-lasta.

Avioitui toisen kerran Sofia Närvän kanssa v. 1925, joka avioliitto kesti 29 vuotta. Kaipaamaan jäi puoliso Sofia, 6 lasta ja 3 lapsipuolta.

Hautaus tapahtui Zion lut. kirkon kautta Brantwoodissa. Pastori John Saarinen piti muistopuheen.

MRS. SOFIA HARJU (o.s. Wuori) nukkui kuolonuneen uskossa Vapahtajaansa 83 vuoden ikäisenä marraskuun 7 p. 1963; asui 3½ v. tyttärensä ja vävynsä mr. ja mrs. Wäinö Komulan luona. Hän syntyi Lapualla helmikuun 3 p. 1880. Meni avioliittoon August Salmen kanssa v. 1898 ja tuli kahden lapsen kanssa Kotkasta v. 1902 Glassportiin, Pa. ja sieltä Brantwoodiin, Wis. v. 1910. Miehensä kuoli v. 1914; meni avioliitton Michael Närvän kanssa v. 1918; oli 6 lasta. Närvä kuoli v. 1922. Meni kolmannen kerran avioliittoon Kristian Harjun kanssa, jolla oli 7 lasta; hän pääsi Herran lepoon v. 1955.

Hautaus oli Zion Lutheran kirkosta, pastori Lauri Isaacson toimien.

Suremaan jäävät 2 tytärtä, Arlowine, mrs. Eino Kerttula, Rancho Cordora, Calif.; Vieno, mrs. Wäinö Komula, Brantwood, Wis.; yksi poika, George R. Salmi, Chicago; seitsemän tytärpuolta ja neljä poikapuolta; viisi lastenlasta ja viisi lastenlastenlasta.

—Omaiset

GIDEON LAINE, o.s. Tuuri, syntyi Isossakyrössä Lehmäjoella 6. 7. 1864, kuoli maaliskuun 20 p. 1937 Kreolessa, Miss. halvauksesta johtuneen veritulpan aiheutumisesta sydämeen. Kävi maalarin opin Vaasassa, mistä sai päästötodistuksen, tuli Amerikkaan Worcesteriin, Mass. v. 1888, meni avioliittoon Maria Josefiina Rajalan kanssa heinäkuun 21 p. 1890, tulivat Fairportiin, Ohioon v. 1890, missä omistivat leipurinliikkeen. Sieltä tulivat Pascagoulaan v. 1899, sieltä muuttivat maalle, missä olivat maanviljelijöinä karjan ja kanojen kasvattajina. Hänen nimelleen oli postitoimisto ja rautatieasema, Laine, nykyään Kreole.

MARIA JOSEFIINA LAINE, o.s. Rajala, syntyi marraskuun 25 p. 1864 Siikasten pitäjässä, kuoli helmikuun 2 p. 1926 Kreolessa, Miss. halvauksesta johtuneen taudin heikentämänä. Olivat perustavia jäseniä luterilaisessa seurakunnassa Kreolessa. Heillä oli yksi lapsi William Gideon, syntyi 7.8. 1891 Fairportissa, O., kuoli 7.25. 1891.

Tämä vain muistoksi sukulaisille ja tuttaville täällä sekä Suomessa.

—J. S. Pikka

OTTO ANDES GRANVICK sai kuolonkutsun kotonaan Cloquetissa, Minn. heinäkuun 27 p. 1964, sairastettuaan useita vuosia. Oli syntynyt elokuun 2 p. 1881 Haapavedellä, Vatukylässä, Oulun läänissä. Tullut Amerikkaan Hancockiin, Mich. v. 1901 ja siirtyi sieltä Cloquetiin, Minn. v. 1902. Hän yhtyi Pyhän Paavalin Lut. seurakuntaan vuonna 1911 ja meni avioliittoon Anna Kaisa Seppäsen kanssa marrask. 18 p. 1911. Vaimonsa kuoli huhtikuun 8 p. 1953.

Muistotilaisuus mr. Granvickille pidettiin kirkossa heinäkuun 29 p. ja ruumis kätkettiin Hillcrest hautausmaahan, pastorit Herbert Franz ja Wäinö Aili toimien.

Kaipaamaan häntä jäivät yksi poika, Reino, Cloquetissa ja kuusi tytärtä, mrs. Raymond Stenroos, Oroville, Calif.; mrs. Thomas Kane, Hayward, Calif.; mrs. Howard Ross, mrs. George Moran, mrs. Toivo Siltanen ja mrs. John C. Johnson Cloquetissa; veli Victor Suomessa, 17 lastenlasta ja neljä lastenlastenlasta.

"Jopa loppui päivän vaiva, Ehtoo levon mulle tuo, Rasitetun täällä aivan Herra rauhaan mennä suo."

Mutta Jumala tuo ilmi rakkautensa meitä kohtaan siinä, ettät Kristus, meidän vielä ollessamme syntisiä, kuoli edestämme. (Room. 5: 8.)

—Lapset

ADA ALIINA LOUKONEN, o.s. Salmu, synt. elok. 20 p:nä 1879 Kalajoella, Suomessa. Tuli Yhdysvaltoihin vanhempainsa Joseph ja Anna Salmun mukana v. 1884 asuen ensin Portage Entryssä, Mich., Calumetissa, Mich. ja Hancockissa, Mich. Siirtyi v. 1909 Denveriin, Colo. ja v. 1920 Reedley'iin, Calif. Opiskeli Suomi-Opistossa vuosina 1899—1901 ja suoritti kauppakurssin v. 1903 Duluthin Business Collegessa, Duluth, Minn. Solmi avioliiton Ernest V. Loukosen kanssa toukok. 22 p:nä 1911 Denverissä, Colo. Toiminut kesä- ja pyhäkoulujen opettajana ja muutoinkin ottanut osaa seurakuntatoimintaan asuinpaikoillaan, ollen m.m. Reedleyn suomalaisen luterilaisen seurakunnan pyhäkoulun johtajana 25 vuotta.

Kuoli äkillisesti auto-onnettomuuden uhrina marrask. 24 p:nä 1963 Reedleyssä, Calif. Hautaus oli marrask. 29 p:nä 1963 pastorien John Heinon ja Myron D. Hetlandin toimittaessa papilliset tehtävät sekä rva Lydia Näsin laulaessa pari yksinlaulua.

Poisnukkunutta kaipaamaan puolison ohella jäivät tyttäret, rouvat Roberta Kelly Reedleyssä ja Lillian Crail Haywardissa, Calif., viisi lastenlasta, pojan leski, rva Gertrude Loukonen Reedleyssä, sekä laaja sukulais- ja ystäväjoukko.

NEITI MARIA RAJA-
LA, syntynyt Ilmajoella,
Suomessa helmik. 23 p. 1883,
kuoli New Yorkissa, N. Y.
maalisk. 25 p. 1964 pitkän
sairauden jälkeen. Lähinnä
suremaan jäivät sisar So-
fia Laakso perheineen Ca-
nadassa, sisarenlapset Aino
ja Viljo Nikander Staten
Islandissa, N. Y., sisaren-
lapsi mrs. Fanny Honka,
Phoenix, Ariz. ja sisaren ja
veljen lapsia Suomessa.
Pastori Arvi H. Saarisuu
toimitti hautajaisjumalan-
palveluksen Manhattanissa,
jossa viimeiset kymmenen
vuotta vainaja oli Harle-
min Ev. Lut. Seurakunnan
uskollinen jäsen. Toukok.
23 p. ruumis kätkettiin Han-
cockin, Mich. Lakeside hau-
tausmaahan tri Juho Kus-
taa Nikanderin perhehau-
taan, tri Armas Holmio toi-
mien. Tätimme toimi noin
30 vuotta Chicago Fresh Air
Hospitaalissa, kuuluen ko-
ko ajan Chicagon Ev. Lut.
Seurakuntaan. Kaipauksel-
la muistamme hänen palve-
levaista ja avuliasta luon-
nettaan. — Omaiset.

NIKOLAI SAARI, 79 v.,
tunnettu Lake kauntin suo-
malaisten alkuraivaaja, kuo-
li heinäk. 20 p. 1964. Syn-
tynyt Kauhajärvellä, hän
tuli Fairportiin v. 1902. Toi-
mi poliisina Fairportissa.
Työskenteli Diamond Alka-
li Co.'ssa. Hänellä oli peru-
nafarmi Thompsonissa, O.
Haudattiin Siion lut. kirkon
kautta, past. Henry Leino
ja past. Leslie Lurvey toi-
mien. Lähinnä kaipaamaan
jäivät vaimonsa Ottilia
Fairportissa; 2 tytärtä, mrs.
Edward Robinson Babso-
nissa, Tex., mrs. Fred Leo-
nard, Rock Creek, O.; 4 poi-
kaa, Ferdinand ja Fridolph
Thompsonissa sekä Fritz ja
Fjalar Madisonissa; 1 sisar
mrs. Milia Luhtanen Paines-
villessä; 2 tytärpuolta mrs.
Raymond Hendrickson Fair-
portissa, mrs. Raymond Jy-
länki Painesvillessä; 2 poi-
kapuolta, Reynold Lurvey
Fairportissa, pastori Leslie
Lurvey Torontossa, Ont.;
16 lastenlasta ja 3 lasten-
lastenlasta. Jumala vaina-
jan muistoa siunatkoon.
—L. G. L.

PAUL J. PASSOJA syntyi Monessenissa, Pa. elok. 9 p. 1907. Hän oli edesmenneiden mr. ja mrs. Charles Passojan poika. Hän sai kuolonkutsun äkkiä kotonaan kesäk. 5 p. 1963. Suremaan jäi vaimonsa mrs. Eva Niemelä-Passoja Monessenissa, sisar mrs. Elma Niemelä, Speers Hill, kaksi veljeä Edwin Monessenissa ja Ernest Chicagossa, kuin myöskin Pyhän Luukkaan seurakunnan jäsenkunta ja suuri joukko työtovereita ja ystäviä. Hän oli entisen Louhi Soittokunnan jäsen ja johtaja. Toimi musiikin johtajana Monessenin kouluissa 25 vuotta. Viime vuosina hän toimi Pyhän Luukkaan kuoron johtajana. Hänet haudattiin Pyhän Luukkaan kirkosta kesäk. 8 p. 1963, past. Rodger Foltz toimien. Hänet haudattiin Grandview hautausmaahan odottamaan ylösnousemisen hetkeä.

Mrs. Eva J. Passoja

BENJAMIN MACKEY kuoli toukokuun 19 p. 1964 Lake Worthissa, Floridassa sydänhalvaukseen. Hän oli syntynyt Laihialla, Vaasan läänissä, Suomessa v. 1888. Hän tuli tähän maahan nuorena miehenä ja asui enimmän osan elämästään Detroitissa, Mich. Muutti Lake Worthiin, Floridaan vanhuuttaan viettämään ja kuului jäsenenä Pyhän Andrean luterilaiseen seurakuntaan Lake Worthissa. Hän oli seurakunnan diakoneja. Pastori Douglas Ollila toimitti hautausjumalanpalveluksen sekä siunasi ruumiin haudan lepoon. Hänen lempilaulunsa oli:

Täältä puolehen ylhäisen maan
Vaan nyt uskossa katsellahan:
Sinne Jeesus jo valmistamaan
Mennyt on kodin meill' ihanan.

Vaimo,
Mrs. Benjamin Mackey

MATILDA RITARI (o.s.
Saarimäki) päätti maalli-
sen matkansa kesäk. 17 p.
1963 Seattlessa, Wash. Hän
syntyi Laihialla syysk. 1 p.
1880, saapui Conneautiin,
Ohio v. 1900, vihittiin avio-
liittoon Herman Ritarin
kanssa 1901. Heille syntyi
seitsemän lasta, joista on
elossa vain yksi tytär. He
muuttivat Ohiosta Kreo-
leen, Miss. Sieltä suuren
myrskyn jälkeen muuttivat
lännelle, asuen Portlandis-
sa, Toledossa, Winlockissa
ja Seattlessa. Muistotilai-
suus vietettiin kesäk. 21 p.,
pastori O. Kaarto siunaten
haudan miehensä viereen
Seattlen luterilaiseen hau-
tausmaahan.

Ritarien koti oli vieras-
varainen; siellä vierailivat
melkein kaikki kirkkokun-
tamme papit lännellä käy-
dessään.

Lähinnä kaipaavat tytär
Esther (mrs. W. Mount)
sekä sukulaiset Pennsylva-
nian ja Texasin valtioissa,
Suomessa sekä laaja ystä-
väjoukko lännellä.

LEMPI K. KROOK, o.s.
Seppä, nukkui kuolonuneen
Victory Memorial sairaa-
lassa Waukeganissa, Ill.,
helmik. 25 p. 1964 neljän
vuoden sairauden jälkeen
verisuonen katkeaman seu-
rauksesta, 75 vuoden ikäi-
senä. Hän oli syntynyt Ala-
vuudella, Rantatöysän kyläs-
sä, Vaasan läänissä syysk.
7 p. 1888. Hän nukkui rau-
hallisesti turvaten Vapah-
tajaansa. Suremaan jäi
puolisonsa, 3 lasta, 4 ll. ja
suuri joukko sukulaisia. Oli
uskollinen Martha ja Ma-
ria seuran jäsen. Haudat-
tiin St. Marksin kirkosta
North Shore Garden of
Memories hautausmaahan,
past. R. Heticon ja tri A.
Rautalahden toimiessa.

Maiset päivät ne haihtuvi
  vaan,
Pian saamme jo jättää tää,
Tämä muistojen, huolien,
  harmien maa,
Tulla maahan, oi parem-
  paan.
Saan luonasi rauhan tuon
  siunatun,
Siksi armosi helmaan jään.
Onni Krook ja lapset

212

MARIA JOHANNA ANNALA (o.s. Forsman) nukkui kuolonuneen Painesvillen Memorial sairaalassa helmik. 12 p. 1964. Hän oli syntynyt Ylistarossa joulukun 10 p. 1888 ja oli kuollessaan 75 v. 2 kk. ja 2 p. ikäinen. Fairport Harborissa hän asui 59 v. V. 1908 hän meni avioliittoon Jacob Annalan kanssa, joka kuoli v. 1951.

Äiti oli ahkera toiminnan jäsen Siion seurakunnassa, kuuluen sen moniin yhdistyksiin sekä Kalevan Naisiin. Kaipaamaan jäivät lähinnä tyttäret mrs. Henry Oinonen (Lillian) sekä nti Flora kotona, 3 lastenlasta ja 6 lastenlastenlasta.

Hautaus oli helmik. 14 p. 1964 rakastamansa kirkon kautta Painesvillen Evergreen hautausmaahan, pastori Toivo Rosenberg suorittaen kirkolliset toimet.

"Mun kotini taivaassa ihana on,
ja sinne mun mieleni palaa.

Jälleennäkemisen toivossa,
lapset ja lastenlapset

LIZZIE HOLM, o.s. Wargelin, kuoli Grand Rapidsissä leikkauksessa huhtik. 23 p. 1964. Hän oli syntynyt Ala-Härmässä lokak. 21 p. 1883, mennyt avioliittoon Andrew Holm in kanssa Hibbingissä kesäk. 24 p. 1902. He muuttivat Deer Riverille v. 1906, sieltä maaseudulle Blackberryyn, myöhemmin Nashwaukiin ja Grand Rapidsiin v. 1943. Kaipaamaan jäi puolisonsa, 4 poikaa, Carl, Henry, Hjalmer ja John; 4 tytärtä, mrs. Alfred Michael, mrs. Kenneth Carlson, mrs. Louis Stewart ja mrs. Gerald Carlson; veli John Wargelin sekä 32 ll. ja 35 lll.

Hän vietti viimeiset vuodet Itasca Lepokodissa. Herran seurakunta oli hänelle rakas ja hän todisti Herrastansa yhteisissä kokouksissa usein.

Viimeinen palvelus pidettiin Libby hautaustoimistosta huhtik. 27 p., pastori Karl Wilkman toimien.

Trout Lake-Boveyn
Lähetyskerho

JOHN IVARI HEIKIN-
POIKA LUHTASAARI
(HENDRICKSON) syntyi
Suomessa Peräseinäjoella
Heilalan kylässä maalisk.
18 p. 1889. Saapui Amerik-
kaan v. 1905 ja asui koko
ajan täällä Ashtabulassa,
Ohiossa. Teimme yhdessä
Suomi-matkan vuonna 1925.
Hän kasvoi syvästi kristil-
lisessä rukoilevassa kodissa.
Hän meni kanssani avioliit-
toon v. 1914 (omaa sukua
Valo). Hän poistui luotani,
Jumalan kutsusta, Ashta-
bulan sairaalassa kesäk. 18
p. 1962. Syvästi kaivaten,
lähinnä minä, Saimi, hänen
vaimonsa; sisar mrs. Alma
Myllymäki ja sisaren poika
Milton Myllymäki täällä.
Kaksi sisarta ja kaksi vel-
jeä kuolivat samana kesä-
nä. Hän oli Betania seura-
kunnan jäsen, jossa kirkos-
sa oli muistotilaisuus. Pas-
tori Martin Saarinen ja
pastori Otto Mäki toimivat
kirkossa. Pastori Martin
Saarinen siunasi rakkaani
Herran lepoon kunnes saa-
puu autuas aamu, jolloin
hän on nouseva mullasta.
Vaimo, Saimi

GEORGE ARNOLD
(CHICKIE) BERKOWITZ
oli syntynyt Monessenissa,
Pa. toukok. 1 p. 1912; sai
äkillisen kuolonkutsun syys-
kuun 1 p. 1963. Hän oli
edesmenneiden mr. ja mrs.
John A. Berkowitzin poika.
Suremaan jäi vaimo Mary,
tytär Candace Jan ja sisar
Dagmar Monessenissa, Py-
hän Luukkaan seurakun-
nan jäsenet ja laaja tutta-
vapiiri tässä kaupungissa,
jossa hän oli kasvanut ja
koulunsa käynyt. Hän oli
koko elämänsä Pyh. Luuk-
kaan seurakunnan jäsen, ol-
len useamman vuoden kirk-
koneuvoston jäsen ja toi-
mien johtoasemassa seura-
kunnan huoltovastuussa.
Hautajaiset olivat Pyhän
Luukkaan ev.-lut. kirkosta
keskiviikkona syysk. 4 p.
1963, past. Rodger N. Foltz
toimien. Hänet haudattiin
Grandview hautausmaahan
Monessenissa odottamaan
ylösnousemisen ihanaa päi-
vää.

—Omaiset

214

TOIVO HARJU. Taivaallinen Isämme suuressa rakkaudessaan kutsui luoksensa rakkaan isämme.

Hän kuoli keuhkokuumeeseen L'Ansen, Mich. hospitaalissa lokak. 31 p. 1962. Hän oli syntynyt Karstulassa, Suomessa tammik. 3 p. 1882, ollen 80 vuoden ikäinen.

Kaipaamaan jäi 3 tytärtä, mrs. George (Eva) Hautala, Madison, Ohio; Martha, Powers, Mich., ja mrs. Arno (Kerttu) Suojanen, Cornell, Mich.; 2 poikaa, Toivo, Waukegan, Ill., ja Arvo, Trout Creek, Mich.; 4 lastenlasta, sukulaisia Suomessa ja tässä maassa, sekä joukko tuttavia täällä. T o m u m a j a saatettiin Agate hautausmaahan Trout Creekin ev.-lut. kirkosta. Pastorit Raymond Holmes ja Rudolph Kemppainen pitivät ruumissaarnan ja siunasivat haudan.

—Lapset

Oi Herra, jos mä matkamies maan Lopulla matkaa nähdä sun saan.

ERLAND SIGFRID LAMPI syntyi heinäk. 17 p. 1891 Siidepyyssä, Suomessa, sai iäisyyskutsun syysk. 4 p. 1963 sydänkohtauksen seurauksesta. Hänet vihittiin avioliittoon Miliana Sillanpään kanssa Kärjänkoskella, Isollajoella, Suomessa heinäkuun 17 p. 1910. Hän tuli Hibbingiin, Minn. v. 1912 ja perusti vaimonsa kanssa kotinsa v. 1931 Blackberryn maaseudulle.

Viimeinen palvelus pidettiin Trout Lake Luth. kirkosta, past. Alex William Koski toimittaen papilliset tehtävät; ruumis saatettiin Blackberryn hautausmaahan.

Suremaan jäi vaimonsa Miliana, veli William ja sisar Helmi Suomessa ja sisar Ida Ruotsissa, kaukaisempia sukulaisia sekä Trout Lake-Boveyn ev.-lut. seurakunta, jonka valtuustossa hän palveli monta vuotta.

Trout Lake-Boveyn Lähetyskerho

JAKOB SAARI kuoli kotonaan huhtikuun 3 p. 1964 81 vuoden ikäisenä. Hän oli syntynyt Suomessa, Lappajärvellä, V. l. huhtik. 25 p. 1882. Hän tuli USA'han v. 1904, asettuen ensiksi asumaan Houghtoniin, Mich. Hän meni avioliittoon Hilma Syrjälän kanssa v. 1908 (joka kuoli v. 1957). Hän työskenteli nuorena Kuparisaaren kaivannoissa, siirtyen Eloon alkuasukkaaksi, jossa hän toimi aluksi puuseppänä ja myöhemmin maitotaloudessa. Hän oli Our Saviour's Lutheran seurakunnan jäsen. Suremaan jäivät kaksi 2 poikaa, Jacob ja Ernest; 6 tytärtä, mrs. Raymond (Ellen) Mannisto, mrs. Arne (JoAnn) Masters, mrs. Edwin (Dagmar) Perander, mrs. Norman (Sylvia) Ruuspakka, mrs. Kenneth (Sanelma) Repola ja mrs. Hugo (Esther) Piippo; 1 veli Suomessa; 16 lastenlasta ja 12 lastenlastenlasta.

—Omaiset

SALOMON SAARELA sai iäisyyskutsun Lake kauntin Memorial sairaalassa heinäkuun 24 p. 1963. Hän oli syntynyt syysk. 9 p. 1884 Kurikassa. Hän kuului Fairportin luterilaiseen Siion seurakuntaan, toimien sen monissa eri tehtävissä.

Vainajaa jäivät lähinnä kaipaamaan vaimo Ida, o.s. Markkanen, tytär mrs. Reuben Pohto, pojat Allan ja Keijo, kaikki Fairport Harborissa, sisko mrs. Gus Penttinen Brantwoodissa, Wis., 7 ll. ja 13 lll.

Muistotilaisuus vietettiin heinäk. 27 p. Siion kirkosta, jonka jälkeen past. Toivo Rosenberg siunasi vainajan viimeiseen lepoon seurakunnan hautausmaahan.

Haluamme lausua sydämelliset kiitoksemme kaikille, jotka tavalla tai toisella ottivat osaa syvään suruumme.

—Omaiset

ESA MIETTY vaipui kuolonuneen marrask. 22 p. 1962 Lake County Memorial sairaalassa, Painesville, O. Hän oli syntynyt Isossakyrössä, Orismalassa, V. 1. maalisk. 24 p. 1904. Oli 58 v. ikäinen. Tuli Amerikkaan v. 1925 ja meni avioliittoon Ina Pernojan kanssa marrask. 20 p. 1928.

Syvällä surulla jäi kaipaamaan vaimonsa Ina, poika Robert sekä 3 lastenlasta ja miniä, 3 siskoa Suomessa.

Hautaus oli Fairport Harborin Siion lut. kirkon kautta, jonka toimiva jäsen hän oli. Suomi kuoro, jonka tenori hän oli, lauloi kaksi laulua, joista vainaja lauloi viimeksi "Tule sä murheinen".

Hänet kätkettiin Painesvillen Evergreen hautausmaahan marraskuun 24 p. 1962. Muistopuheita pitivät pastorit Arvo Korhonen ja Philip Anttila.

Puoliso Ina ja
poika Robert perheineen

TRI ARNO ISAAC WARGELIN, Warrenin, Ohion asukas ja hammaslääkäri vuodesta 1931, kuoli Aganassa, Guamin saarella Tyynellämerellä maalisk. 2 pnä 1964. Hän oli mennyt vaimonsa kanssa (Mamie, o.s. Kasari) viettämään joulua tyttärensä (Donna) ja vävynsä (Lt. John Kennard) luona. Arno Wargelin, Isaac ja Ida (o.s. Kandelin) Wargelinin poika, syntyi huhtik. 7 p. 1906 Hancockissa, Mich. Hän gradueerasi Suomi Collegesta ja Michiganin yliopistosta v. 1929 hammaslääkärinä; hän kuului laivaston reserviin yli 30 vuotta palvellen toisessa maailmansodassa, saaden Commander-komennusarvon. Oli ahkera jäsen St. Mark's seurakunnassa, kuuluen aikoinaan johtokuntaan ja ollen varsin ahkera mieskuoron jäsen. Suremaan jäivät vaimo Mamie, tytär Donna, poika tri David Wargelin, 3 lastenlasta, sisar Aino Boutin sekä veli Wilho.

OTTO W. KOSKI sai iäisyyskutsun kotonaan Cloquetissa, Minn. tammik. 29 p. 1962, 67 v. 2 kk. ja 2 p. ikäisenä. Hän oli syntynyt Haapavedellä, Suomessa marrask. 27 p. 1894. Hän siirtyi tähän maahan vuonna 1901. Vihittiin avioliittoon Anna Tanin kanssa marrask. 22 p. 1914. Hän oli pitkäaikainen jäsen Pyhän Paavalin seurakunnassa.

Viimeinen palvelus hänelle oli helmik. 1 p. 1962 Pyhän Paavalin luterilaisesta kirkosta Cloquetissa, pastorit Herbert Franz ja E. Erickson toimien. Hänet siunattiin viimeiseen maalliseen lepoon Pyhän Matteuksen hautausmaahan.

Rakkaudella muistelemaan jäivät puoliso, kaksi poikaa, Clarence, Elkhart, Kansas; Kenneth Cloquetissa; tytär Lillian Cloquetissa, 5 lastenlasta, sisar mrs. Conrad Eckholm Cloquetissa ja veli Aimo Cloquetissa sekä laaja sukulaispiiri, ystäviä ja tuttavia. Veli Oscar sai iäisyyskutsun kesäkuun 21 p. 1964.

ARMIDA EMELIA TÄHTIVIRTA, o.s. Riutta, St. Mark's seurakunnan pitkäaikainen ja uskollinen jäsen, syntyi Janakkalassa 20.6. 1888. Hän tuli Amerikkaan v. 1911. Heinäk. 5 p. 1913 avioitui Walter Tähtivirran kanssa DeKalbissa, Ill. Miehensä kanssa muutti Warreniin, Ohioon Weirtonista, W. Va. v. 1919. Hän kuoli heinäk. 3 p. 1964.

Kaipaamaan jäivät poika K. E. Virta Hyattsvillessä, Md., tytär mrs. Edwin (Salme) Peura Warrenissa, O., tytär mrs. Harold (Sally) Neubig Arlingtonissa, Va., sisar mrs. Hjalmar Leppänen Milanissa, Ill., veljet Felix ja Väinö Riutta Suomessa, 6 lastenlasta ja laaja ystäväjoukko.

Saatettiin haudan lepoon 7.7. 1964 kirkon kautta. Pastori Wayne Niemi piti muistopuheet ja siunasi ruumiin Oakwoodin hautausmaahan odottamaan ylösnousemusta.

"Autuaat ne kuolleet, jotka Herrassa kuolevat."
Pastori R. N. Foltz

218

ERNEST EDWIN
POUTTU kuoli sydänhalvaukseen helmik. 26 p. 1964
Luther Centerillä Fairport
Harborissa, Ohio, ollen iältään vain 50-vuotias. Hän
oli syntynyt Fairportissa
kesäk. 66 p. 1913 kuuluen
koko ikänsä Siion Luth.
seurakuntaan, palvellen sitä monissa eri tehtävissä,
erikoisesti huoltovastuu komiteassa. Hän oli toisen
maailmansodan veteraani,
sekä VFW järjestön perustajia. Kaipaamaan jäi vaimo Lillian (Autio); 2 tytärtä, Janet ja Annette; 1
poika, Ernest; sisar, mrs.
Edward Hervey, sekä veli
Everett. Haudattiin helmik.
29 p. Painesvillen Evergreen hautausmaahan Siion
kirkon kautta, past. Toivo
Rosenberg pappina.
"On luonain Jeesus, kun
silmän' sulkeutuu, ja päärlyportit mulle avautuu. On
luonain Hän, kun jätän tämän maan."
—Puoliso ja lapset

IDA ELINA MARTTINEN syntyi Kangasniemessä, Suomessa helmik. 11 p.
1891 ja vihittiin siellä avioliittoon David Marttisen
kanssa maalisk. 5 p. 1910.
Samana vuonna he tulivat
Amerikkaan ja asettuivat
Massiin, asuen täällä kaiken aikaa ja kuuluen Pyhän Paavalin ev.-lut seurakuntaan ja Kalevan Naisiin. Hän kuoli kotonaan
tammik. 13 p. 1964 ja haudattiin rakastamastaan kotikirkosta tammik. 16 p.,
pastori Antti Lepistö toimittaen ruumiinsiunauksen.

Kaipaamaan jäi puoliso
David, kaksi poikaa Wilho
Massissä ja Ray Martin
Ontonagonissa, tytär mrs.
K. William (Sylvia) Lescelius Massissä, 9 lastenlasta,
2 sisarta Suomessa ja sisar
New Westminsterissä, B.C.,
Canadassa ja veli Suomessa.
—Omaiset

Suurella kaipauksella ilmoitan, että Jumala näki parhaaksi kutsua pois äkillisen kuoleman kautta rakkaan puolisoni JOHN WALFRID KIVISTÖN joulukuun 13 p. 1963. Hän oli syntynyt Soinissa, Vaasan läänissä syyskuun 11 p. 1896. Tullut Amerikkaan v. 1923 ja Clevelandiin vuonna 1929. Olimme avioliitossa 34 vuotta. Suremaan jäi myös sisar Minnie Kyttä, Middleburg Hts., Ohio, ja Fanny Vainio Soinissa sekä muita omaisia ja laaja ystäväpiiri. Seurakunta- ja raamattuleirityö olivat hänelle rakkaita. Muistotilaisuus oli Fairportin Siion kirkosta. Hän lepää Painesvillen Evergreen hautausmaassa, past. Toivo Rosenberg toimittaen siunauksen.

Oi Herra, jos mä matkamies maan
Lopulla matkaa nähdä sun saan;
Oi jos mä kerran Näkisin Herran
Kunniassaan!

Rakkaudella muistellen,
Vaimosi, Ida

HELVI JOSEFINA RAJALA, o.s. Toppari, sai kuolonkutsun kodissaan syysk. 2 p. 1963 saavutettuaan iän 80 v. 10 kk. ja 29 p. Mrs. Rajala syntyi Ylistarossa, Suomessa lokak. 3 p. 1882 ja saapui USA:han v. 1903, asettuen asumaan Baragaan, Mich. Siellä hän meni avioliittoon heinäk. 21 p. 1906 Samuel Rajalan kanssa. Miehensä kuoli v. 1960. Rajalat muuttivat Pelkie'iin v. 1909.

Vainajalle toimitettiin hautausjumalanpalvelus kotikirkossaan Pelkiessä syyskuun 5 p. 1963, ruumis kätkettiin Pelkien hautausmaahan, allekirjoittaneen toimittaessa papilliset tehtävät. Kaipaamaan jäi 8 tytärtä: Tyyne ja Olga Detroitissa, Ina Sanduskyssa, Mich., Julia ja Nelma Chicagossa, Ruth Marquettessa, Sylvia ja Ellen Pelkiessä. Lisäksi kaipaavat kolme sisarta Suomessa, sekä 32 ll. ja 26 lll. Perheen ainut poika John on kuollut jo 28 vuotta sitten.
—T. L. Pikkusaari

MATTI KAMPPINEN kuoli uskossa Vapahtajaansa maaliskuun 9 p. 1963 Painesvillen, Ohio Memorial sairaalassa. Oli syntynyt Ylistarossa heinäkuun 20 p. 1887. Tuli Amerikkaan v. 1907 Conneautiin, Ohio ja v. 1918 Fairport Harboriin, Ohio. Hän oli Siion lut. kirkon uskollinen jäsen, josta hänet haudattiin Fairportin Suomi Siion hautausmaahan, past. Philip Anttila toimien.

Vaimonsa Katrin kuoltua meni toiseen avioliittoon Hilma K. Vainionpään kanssa jouluk. 24 p. 1949. Lähinnä kaipauksella muistavat puoliso Hilma K. ja hänen lapset mrs. Everett (Bettie) Nelson ja Robert Boehnke sekä kaksi sisarta, Emmi Kamppinen Suomessa ja mrs. Matilda Annala Painesvillessä, O.

—Omaiset

ALEX MÄKI syntyi maaliskuun 8 p. 1885, kuoli maaliskuun 28 p. 1964 Newberryssä, Tahquamenon General Hospitalissa pitkän sairauden jälkeen. Oli kuollessaan 79 vuoden ja 20 päivän ikäinen. Hän kuului jäsenenä luterilaiseen seurakuntaan. Suremaan jäi vaimonsa Tekla, poika Niilo, tytär Vieno (mrs. Heino) sekä kaksi lastenlasta. Hautauspalveluksen toimitti pastori Torkko.

Tääll' ei saa yhdess' olla,
Jos kuinka pyydämme,
Vaan haudan tuolla puolla
Toisemme löydämme.

—Omaiset

AMALIA FREDERICKA WILLIAMSON, o.s. Kangas, kuoli Herran rauhassa Soo Memorial sairaalassa, Sault Ste. Marie, Michigan, elokuun 15 p. 1964. Hän oli sairaana kolme kuukautta; viimeinen kuukausi särkyneen lonkkaluun vaivaamana. Hän syntyi Kauhavalla, Vaasan läänissä jouluk. 21 p. 1875. Hän tuli nuorena naisena Suomesta Ishpemingiin, Mich. maalisk. 15 p. 1895. Hän meni avioliittoon Christian Williamsonin kanssa Ishpemingissä maalisk. 19 p. 1897. Past. K. Tolonen toimitti vihkitoimituksen. Asuivat Massissa, Mich. vv. 1901—1909 ja Gwinnissä, Mich. vv. 1909—1942; vihdoin Sault Ste. Mariessa tyttären luona. Hän oli aina ahkera kirkkoihminen ja pyhäkoulun opettaja. Hänen viimeinen elonkuukautensa oli varsin vaikea, hän hartaasti ikävöi pääsyä kotiin, jossa eivät enää tuskat ja vaivat rasita, vaan jossa on iäinen rauha. Hän oli kuollessaan 88 v., 8 kk., 25 p:n ikäinen.

Vainajaa jäivät murhemielin kaipaamaan poika William, tyttäret Ione, Cygred ja Sally, sisar Elizabeth Grekelä, 9 lastenlasta ja 14 l.-l.-lasta. Kuusi lastenlasta kantoivat vainajan viimeiseen lepoonsa Gwinnin hautausmaalle elokuun 18 p. 1964. — *Lapset.*

HAKEMISTO